D1490240

▲ 我自己最满意的一张时尚"大片"。
《芭莎珠宝》为我拍的,
也喜欢这条裙子,
前提是不能吃饭,
因为裙子很瘦。

BLOOM

◀《瑞丽伊人》寻找OL榜样颁奖盛典。
我拿到的是"榜样魅力奖"。
奖杯很美，是琉璃工坊的作品慧质兰心。

BLOOM

▼ 美国《广告时代》杂志2012年最受
瞩目的女性颁奖典礼。

◀ 我(左)和姐姐，
她大我4岁。
我叫周忆，她叫周恬，
不过似乎跟"忆苦思甜"之类的没什么关系。

▲ 上大学期间
每年回家探亲都会留下一张全家福。

▼ 这是一张十分珍贵的合影，
  同年入解放军外语学院的八位浙江老乡，
  我是"八仙"中的何仙姑
  唯一的女生。

BLOOM

BLOOM

▲
在解放军外院求学时期的我，
整天都是军装军裤，
想美也没有机会，
只有露出的衬衣领子
是一小块儿"臭美自留地"。

◀ 在军校做教员时，
发现海军的军装比陆军帅，
于是我借来照相。

BLOOM

我在不穿军装那位男士的右侧。▼
这些是我教的学生。
我们年龄相差无几，
所以很容易成为朋友。

外语学院八八级英语三班毕业留念

这是我莫大的荣耀，
他们一路培养我良多，
这么隆重的邀约，
我内心惶然，
只觉是生命中无法承受之重。

BLOOM

◀ 在中法公关公司，一个初涉
　外企的"菜鸟"。

BLOOM

▼ 卡地亚的时尚派对上
　偶遇当年就职的中法公关公司的创始人杜蒙（右一）。
　他是第一位教我怎么做公关的"师傅"。

绽放

听世界500强
企业女总裁聊聊职场

周忆 王舒婧◎著

BLOOM

中信出版社 · CHINA**CITIC**PRESS · 北京 ·

图书在版编目（CIP）数据

绽放：听世界 500 强企业女总裁聊聊职场 / 周忆，王舒婧著. 一北京：中信出版社，2013.1
ISBN 978–7–5086–3750–1
I. ①绽… II. ①周… ②王… III. ①成功心理—通俗读物 IV. ①B848.4–49
中国版本图书馆 CIP 数据核字（2012）第 289160 号

绽放：听世界 500 强企业女总裁聊聊职场

著　者：周　忆　王舒婧
封面摄影：武海勇
策划推广：中信出版社（China CITIC Press）
出版发行：中信出版集团股份有限公司
　　　　　（北京市朝阳区惠新东街甲 4 号富盛大厦 2 座　邮编　100029）
　　　　　（CITIC Publishing Group）
承 印 者：中国电影出版社印刷厂

开　　本：787mm×1092mm　1/16　　　　　插　页：16
印　　张：12.75　　　　　　　　　　　　字　数：150 千字
版　　次：2013 年 1 月第 1 版　　　　　　印　次：2014 年 1 月第 10 次印刷
广告经营许可证：京朝工商广字第 8087 号
书　　号：ISBN 978–7–5086–3750–1 / F · 2790
定　　价：35.00 元

版权所有 · 侵权必究
凡购本社图书，如有缺页、倒页、脱页，由发行公司负责退换。
服务热线：010–84849555　　服务传真：010–84849000
投稿邮箱：author@citicpub.com

目录
BLOOM

第一章

有女初长成：小理想　大世界

第二章

菜鸟养成记：小成长　大飞跃

第三章

职场炼金术：小女子　大智慧

后　记

我的北京爱情故事

潘跃

（中央电视台制片人）

　　一个清秀高挑的江南女孩儿在北京外国语学院攻读英美文学硕士学位，一位央视的男编导，正好负责青年大学生栏目，便可以假创作拍摄之名，多次出入北外，不断接近心仪的女孩儿，直到有一天她的心为情而萌动。这是一个校园剧的故事梗概吗？当然是，但它首先是我和太太周忆婚恋史的源头。

　　只是一个非常巧合的缘由见到了周忆，没有什么戏剧性，但我喜欢她跟我当时的心境和状态有关。在认识她之前，我一直在大江南北、长城内外不停地奔走，混迹于各个电视剧和纪录片剧组，与各种女孩儿打交道，这些女孩儿不论年龄大小，大都算是社会生活阅历丰富的人，而我自己，由于见多识广，内心也显得十分沧桑，至少我自己是这么认为的。所以一旦在大学校园那块净土中见到周忆，我猛地好像被一泓清泉醍醐灌顶，"穿越"到另一个时空。我喜欢高挑腿长的女孩儿，她符合我的这一思维定式。一旦跟她敞开聊天，她如泉水般的单纯、透明和清澈不断荡涤我内心的创痕和污垢，让我沉重的内心开始轻盈起来，紧张的精神开始松弛下来，那是一种非常舒服的感觉。

这种感觉总是让你回味、陶醉、上瘾，产生心理依赖，最后完全离不开，我就是这么爱上她的。人的单纯一定来自于成长经历的单纯，周忆从小就是父母的掌上明珠，栖居在家中，又是学校的学习尖子，老师的呵护和各种荣誉始终环绕着她，犹如一个保护罩。大学阴差阳错上了军校，而且是从山清水秀的江南到了风沙漫漫的河南，生活上经历了磨炼。但是由于军校管理严格，比如严禁谈恋爱，比如周末未经批准不许上街等，使她没有过早接触社会受到污染，心灵上依然保持了纯白的底色。所以，我是幸运的，像她这样秀外慧中的女孩子，在成长的路上，但凡环境世俗一点，有哪位男性一"截获"，就轮不到我了。

所以感情开始起跑时，我们俩的差异非常大。说句老实话，我当时看她的目光是有点向下的，我已是走南闯北的江湖大哥，她是桃花源中的小妹，不知有汉，无论魏晋。谈恋爱就是一个"谈"字，那时我们俩一聊就是很长时间，大都是我"主侃"，叙说各种经历遭遇、逸闻趣事，她依偎在我身旁，仔细聆听着，不时被我的俏皮话逗得哈哈笑，她笑得也是那么自然，既不是矜持端着不忘淑女姿态，也不是没遮没拦一通放肆。

几个月后我打算娶她，也没有正式的求婚仪式，毫不怀疑毫不动摇地就认为我超喜欢她，我要一辈子罩着她，让她幸福。也知道她喜欢我，这就够了。婚后我知道了，她当时就是一个纯纯粹粹的文艺青年心态，喜欢我的幽默感和戏剧化语言，喜欢我的长头发和络腮胡子，喜欢我的大块头和大嗓门儿，喜欢我的糙劲儿和"导演范儿"，她竟然不喜欢小白脸和穿戴干净整齐的人！她的偏好真是拯救了我。她在北外有不止一个明的暗的追求者，有一次，我去北外找她，她不在，我在她宿舍门前转悠等她，一个帅哥走过来问我找谁，我说等周忆，他的语气和眼光里都是敌意，即使在光线昏暗的楼道里我都能强烈感觉到这一点，只好匆匆离去。

在我们的婚礼上，我的有些同事朋友第一次见到她，也都认为我娶了个乖乖女，可能生活在童话世界里，要不怎么会嫁给我呢？都一致叮嘱我，待人家好点儿，别坑害"下一代"。

谁都没有想到，周忆不是一个孱弱、没有主见的女孩子，她强大的内心和独立的品质是逐渐显现出来的。我当时没有特别意识到，她其实与一般的女孩子是有相当不同的，后来当她成功了，再回头去看起点的那些点点滴滴，才恍然悟到：那些生活琐事，都蕴含着相当重要的意味，真是草蛇灰线，一脉相承啊。

记得从我们认识的那一天起，她没有问过我跟收入有关的事情，像我的工资是多少，有多少外快，我父母给我多少钱或者反过来我给父母多少钱等等。这让我很舒服，心里很释然，显然她即使和我结婚，也没有丝毫傍大款的嫌疑。老实说，我当时是一个准穷光蛋，虽然工资额度尚可，但都被我的狐朋狗友懵懵迷离地造光了，剧组又一直欠着我的一大笔劳务费，再加上一年到头在各地跑，手头上没有什么闲钱，存折上也是可怜的一个数字。我有个父母给的一居室，但里面空空荡荡，连睡觉和吃饭的物件都不全，她第一次进到房中就一定八九不离十地估计到了我的收入状况，但她什么也没说。由于囊中羞涩，我和她每次见面，我都"放血"不多，去北外看她，给她带的零食很便宜；约她到外边，吃的饭馆也很普通。比如我请她吃的第一顿饭是朝鲜冷面，就在府右街北口西南角的延吉面馆，这家国营面馆今天居然还健在，这成了我们的一大幸事，因为那是我们的感情圣地——可以不时去故地重游缅怀往事。更凑巧有趣的是，夫人生儿子居然就是在饭馆对面的北大医院，而且过了预产期一星期她都没有分娩的迹象且食欲极好，有一晚突发奇想，避开护士的严密监管，成功偷偷溜出医院，在延吉面馆吃了一大碗冷面，大快朵颐，夜里就腹中绞痛，咣当把儿子生了下来。你说在生命中有多少巧合交集，命定了前因后果。

她自己很能挣钱。她当时虽然读研究生，但她的组织关系仍然在解放军外语学院，仍是现役军官，九十年代初，军队的工资比起地方还是相当高的。由于英语流利，在改革开放初期这算是身怀绝技，挣起钱来毫不费力。当时我们住在万寿路，而北京西三环一带，社会上各种外语班遍地开花，今天的新东方总裁俞敏洪那时也蹬着三轮，不亦乐乎地为自己蜷伏在京郊农民村里草创的新东方学校拉着过冬的蜂窝煤。周忆就在那时被各种班聘去教英语（精读、泛读、口语、写作等门类），她父亲是大学老师，她也是大学老师，再加之中学和大学时代都拿过演讲和写作的大奖，上课极为生动流利，所以不管哪个班她一旦去讲过，以后想推都推不掉，每推一次，结果就是她的小时授课费又涨了一次，弄得她都怪不好意思的。这还算是小钱，如果有师兄师姐或外国朋友找来，让她去给某个国际会议做一次翻译，那挣的就是巨款了。

当时，北京以至全国都还实行外汇券制度，这是一种准货币，既不是外币（严禁在中国国内流通），也不是人民币（当时正在大幅贬值，说白了就是不值钱，今非昔比啊），所以国家就推出了外汇券，在涉外场合使用。虽然面值和人民币一样，但在黑市上一元外汇券可以换两三元人民币，而且当时像友谊商店、出国人员服务部等能买到进口和外贸商品的地方，一律只收外汇券，不收人民币，所以让外汇券更加走俏。某种意义上，手中有外汇券，不仅代表你有钱，而且是有身份的象征。记得有一次，她做翻译回来，脸上笑盈盈的，关上家门，从包里拿出五百元外汇券，把我震了，要知道当时人们的月工资也就区区一两百元钱。挣钱虽多，但不容易，每次去上英语课，她都要骑上自行车，恰逢春天，北京风沙大，不时有沙尘暴，等她讲课回来，浑身上下犹如一个土人，让人心疼。那些社会上的英语班，有些就租京西农民村里的房子上课，她还要在土路上颠簸，有一次居然连车带人横摔出去，手心和膝盖划得都是血道子，我是真怕她出事，不让她去了。她哭完鼻子，反倒过来安慰我，说偏的不去了，咱可以多去不偏的，咱们马上要结婚了，需要钱是大大的。这真是让我感动不已，更羞惭不已，这么娇弱的一个女孩了，努力去挣钱，你说我这爷们儿的脸往哪儿搁？可她从不这样认为，有时我表达了这层意思，她就笑嘻嘻地反问我："要不，你替我去讲课？"

出乎我意料的是，像她这样从小被父母和叔叔阿姨呵护有加的乖乖女，一个一心只读圣贤书的模范生，居然讲究生活的品味，对生活的技能悟性极好，一点就通。比如，她特别讲究吃，不是说她讲究山珍海味，而是说她非常在乎菜的品质和味道，而且她也会做，不断琢磨烹调术。一居室单元的厨房非常简陋，但她每次进去前，都会在一张纸上把菜谱写好，然后先把原料采购全，再走进厨房，一顿锅碗瓢盆的铿锵声后，一桌美味就出炉了。

几个月下来，她还是那么瘦，我却长了十几斤的膘。由于厨艺不错，我们当时也敢请同事朋友到家里聚餐，"暴撮"一顿，这在同龄人中真不多见。来的人大吃大喝并赞不绝口时，她虽然嘴上很谦虚，心里是极享受的。由于生长在知识分子家庭，家教极严，看她从小学到中学的黑白照片，穿着都是很朴素的，大学上了军校，用她自己的话说是在修道院里修行了几年，肥大的军装一上身，对于女孩子来说，别说美了，连性别区分都成问题。我刚认识她时，她考到北外读研不到一个月，打扮也很朴素，不过这一切很快就发生了变化。北外美女多，这是仅隔一条马路的北京理工大学男生给的评价，其含义应该既指人长得漂亮，也指会穿衣打扮比较洋气。到底是学外语的，跟老外打交道多，进出涉外场所比如饭店、俱乐部的机会多，受到西方文化影响熏陶的时候多，近朱者赤，人自然也就打扮入时起来。周忆也不例外，来北京不久，很快就在穿衣打扮上越来越有想法和品味。当然，那时距离奢侈品还很遥远，也还没有机会出国，但从小店里淘来的所谓出口外贸服装经过她的精心搭配，就变得很潮。

我的那个一居室单元一直是白粉墙水泥地，周忆第一次来就从北外宿舍拿来小饰品摆在桌子上窗台上，立刻让屋子有了情致。她北外室友男朋友的姐姐在中央美院读研究生，通过她结识了一位美院才子，也是一位当时罕见的家居设计狂人。他用整幅的布吊在我家天花板上，风格极为夸张；从街头找来小木匠，按照他的规定打出式样独特的家具。每次设计狂人一来我家，周忆就会与他兴致勃勃地讨论新的室内设计构想，接下来我家又会变成新构想的实验场，发生不大不小的变化。周忆是一个能够把生活和事业、美感与智慧水乳交融的人，她绝不会因为追求精致、精细、精美的生活而抛弃事业追求，也不会因为事业追求而变得生活寡趣。当时，研究生还是稀罕物，读研也是一件苦差事。她买了一台进口打字机（当时个人电脑还比较稀缺），整天噼噼啪啪地写着，可一有空闲，她就会打开冰箱构思菜谱，或打开衣柜构思穿着。即使在撰写硕士毕业论文、准备毕业答辩的最繁忙时刻，她也不会让我们俩的生活将就、凑和、马马虎虎，她是一个不能忍受也不允许在生活上粗枝大叶、随随便便的人，她爱美，追求美，也精通如何去获得美达到美。

　　任谁也想不到的是，她不愿意管钱。我相信在这个世界上，绝大多数家庭的CFO（财务主管）是妻子，这其中的大多数妻子是牢牢把住钱袋子的，更有甚者，给老公机动的活钱是有数有限制的，这也是掌管老公的一个有效的办法。但是很幸福，我一天都没有过这样的遭遇，从我们俩确定恋爱关系开始，需要花钱时就是我掏钱她也掏钱，而且很快两人的钱就〝伙〞在一起用了。我记得有一次到了月底，她把外边教课的酬劳从包里拿出来放在写字台上，像是对我说也是对自己说：〝钱要是不存吧，看见它你就可能把它花掉了。〞我觉得好像是暗示我，于是第二天我就去万寿路工行把钱存了起来，于是家里的第一个存折就在我的名下了。过了几天，她把自己的存折拿出来交给我，说：〝这储蓄所距离太远了，存钱取钱真不方便，星期天你陪我去把钱都取出来，存到万寿路这边就方便多了。〞于是存折里一笔数日可观的钱也存进了我名下的存折里。毕竟我们那时还没到街道办事处登记结婚呢，她如此信任我，让我既吃惊又感动。我记得她当时没正式说过〝你来管钱〞，我也没抢着说〝我来管钱〞或推托说〝我不管钱〞，可不知怎地家里的钱就由我管起来了，一直管到今天。她也二十年如一日，从来不去检查存折或银行卡上有多少钱，只是让我告诉她有多少钱，并对家里的储蓄和理财提出一些方向性的建议。

　　周忆还有很多特质，但是这四点给我印象深刻，让我非常强烈地感觉到她与很多女孩儿不同——周忆是一个非常热爱生活、懂得享受生活的女性，渴望生活过得完满、美好、舒适和优渥。出于某种见地，她从没有把这种渴望寄托在嫁给一个能给她带来这一切的男人身上，结果呢，就是靠自己的奋斗去获取。作为一个有明确奋斗目标的女性，她又很大度大气，不斤斤计较小事小节，这在女性中更是少见。

后来每当谈及身边一些女性朋友或女同事追求幸福生活的美梦破灭时，她总是惋惜地说一句话：不靠自己就什么都靠不住。她后来多次跟我说，我不要你给我什么，因为任何有形的东西我自己努力都能够得到，只有一样东西你不给我得不到，就是爱。给了爱，不给任何东西我都很幸福；没有爱，任何东西也不能使我幸福。她还是一个非常强调存在感的人，当她的家庭、朋友和同事因她的存在而变得更好更向上的时候，她的幸福感最强。

她身上还有其他一些特质，那时还没有鲜明地呈现出来，我也十分忽略，可是在她后来的人生中，当面临挑战和机会时，那些特质充分地"绽放"了出来，注定了她会成功。

奇女子 · 贤内助 · 邻家女

周志兴

（共识传媒总裁）

　　认识周忆有段时间了，这次翻看她的书稿才知道，原来，她的乳名叫"思思"，很美的名字，如同她本人。而把"思"和"忆"联在一起，是很有内涵的组合，也如同她本人。

　　"思"是畅想，"忆"是回望，读这本书，我们不断地看到回望，看到畅想。一个虽然还不长但是充满了激情、坎坷、幸运和期盼的人生，不断地在畅想与回望中精彩纷呈。

　　周忆，是个传奇。

　　一个江南女子，没有海归背景，在位列世界五百强前茅的跨国公司做到大中华区副总裁，已经让人刮目，而更难得的是，她又保持了她的聪慧美丽和温柔，甚至还保持了一个家庭"煮"妇的"本分"。

在认识她，了解她之后，我每每想把她比作西湖边的一株树，可总是找不到合适的对象。松树？有坚强却没有柳树的柔软；桂树？有香气却没有云杉的挺拔。翠竹？有知难而进的勇气和虚心的态度，却少了梧桐的饱满。

其实，任何比喻都是苍白的，周忆就是周忆，既是一个在职场叱咤风云的奇女子，又是一个亭亭玉立于我们身边的邻家女孩。

周忆是充满爱心的人。

她爱自己的工作。每天，她像一个陀螺，从早转到晚。天南地北地出差，没日没夜地开会，不断地应对突发事件，不断地审视销售数字，疲惫这两个字，是常常写在心上的。但是，她喜欢，因为她把工作当作自己生命的一部分。哪怕每天回家时，只能是精疲力竭地歪在车上，第二天早晨，她又会容光焕发地出现在办公室。有这样的精神，她的业绩当然是出类拔萃的，我认识她的老板，谈到周忆，那种赞许，溢于言表。

她爱自己的团队，她的手下，有不少的部门，有众多的员工，大陆人，香港人，台湾人，美国人甚至印度人，她游刃有余地调动他们，同时也无微不至地关心他们，该批评的，她绝不心软，该表扬时，她从不吝惜振奋人心的词语和职权范围内的奖励。有时，她还会把团队的同事请到家里，她围上围裙亲自下厨，那个时候，她不像领导，只是一个充满关爱的大姐姐。

她爱自己的家庭。像她这样每天忙碌于职场的女子，会细心地给自己的先生挑选衣服，他的先生总是很时尚地出现在众人面前。她常常出差，但是在出差前，总是细心地给保姆留下儿子每周的食谱，虽然琐碎，但她乐此不疲。这些年，她留下的食谱，能装订成厚厚一册书了，这书里当然不会涉及亲情这两个字，因为没有这道菜，但是，实际上这本书只写了两个字，那就是"亲情"。

今年周忆过生日，儿子和先生伴着她吹灭生日蜡烛，三个人并肩站在一起，每个人脸上都洋溢着幸福，在场的朋友们无不动容。

周忆也爱她自己。从来没有人会猜对她的年龄，因为外貌和年龄严重不符，她喜欢漂亮衣服，喜欢去做SPA，喜欢到处旅游，喜欢那些有点"小资"的东西。有一天晚上，我们坐在黄浦江边一家可以俯瞰浦江夜色的酒吧里，看着江中星星点点闪烁的灯火，看着江对岸霓虹灯明明灭灭，听她讲过去的经历，讲对生活的憧憬，我简直就把她当成了邻家的小姑娘，而忘记了这是一个肩上扛着许多指标的职场女性。

在这篇短短的序里，把周忆写得这么好，我自己也惶惑了，是不是也要找点缺点，这才像一个完整的有血有肉的人？其实很难找，但是我还是可以找到的，因为和她太熟了，而在相熟的朋友面前，她常常是透明的，让人看得到她的心。有时候，她还是没那么坚强。记得有一次，给我打电话，哭得稀里哗啦的，因为遇到了委屈。

这两行眼泪像墨汁，写出了江南女孩的柔弱，同时写出的是真实。

如果说，在这本书中，只读出了一个江南女子的奋斗史和亲情篇，那肯定是不全面的，这本书，实在也是一本职场生存和发展的生动读本。

一个还没有见过大海的学生娃，连救生圈也没带，扑通一下扎下水去，开始时应当怎样折腾？呛了水怎么办？被水草拉住了脚怎么办？怎么才能游得更快，和周围的同泳者如何配合？等等。周忆就是在这样的困惑中走过来的，她遇到过贵人，有过许多人不曾有过的机遇，但是，她也有自己的奋斗，有非同常人的努力，没有这样的奋斗和努力，有再多的机遇也无济于事。

应当说，周忆没有把这本书当作职场教科书来写，她只是记录自己走过的一段路而已，但是，认真读下来，字里行间都是过来人的经验之谈。所以，把这本书看作一本隐性的职场启蒙书，似乎也无不可。

这浓缩了的跨国公司工作心得，对于后来者，是一种润物无声的关爱。

说到跨国公司，和在跨国公司工作的中国人，又是一个新的话题。

普通人看在跨国公司工作的中国人，眼睛里常常是写着羡慕、嫉妒甚至是恨，因为他们中的很多人，缺少了解。其实，静下心来细读此书，我们看到了周忆的一串脚印，透过这串脚印，不难看到路上的艰辛、曲折和蹒跚。

在中国内地的跨国公司，也是在中国改革开放后逐渐成长起来的一片森林。但是，不能简单看作是中国的土地给了它们养分，这片森林同样给中国的土地提供木材和荫凉。而在这片森林中劳作的中国人，在给中国的改革开放作出贡献的同时，自己也得到了提高和锻炼。

所以，当我们回顾国家在这几十年走过的道路，当我们在发展的记事簿上写下一个个有功者的名字，我们一定不要，也一定不会忘记这样一个团体，就是在跨国公司工作的人们。他们是一座桥梁，连接了中国和世界上的先进科技甚至先进文化，缩短了我们追赶世界的距离。而他们在学习和适应外国的先进科技和先进文化中，也承受过许多的压力和委屈，付出了大量的心血和汗水。

周忆就是其中的佼佼者。

祝贺周忆，能够在自己的美丽年华融入祖国发展的滚滚洪流，并且能够在这洪流中掬一捧水，写下这本书，因而在自己前进的道路上留下一个印记。

这个印记，将伴随她的一生。

朋友

徐莉

（《优品》杂志执行副主编）

都说反差大的夫妻之间能和谐能互补，这一点好像也适用于女友间。她精致，我不；她女孩子气，我不；她心细，我不；她酒量小，我不。

她就是我的闺蜜，周忆。

当周忆的第一本书进入尾声时，我有幸应邀成为了序作者之一。写她，是件开心的事，打开电脑，她的笑容便在键盘的敲击声中越来越清晰地绽放了。

这是一个典型的江南女子的笑颜，温暖如冬日的阳光。明星范儿的瓜子脸，明眸皓齿，五官精致得不容做一丝改动。还有那比例再好不过的身材。一次在凯宾斯基的普拉纳喝啤酒，边上的东北小伙儿看她足有半小时，鼓足勇气上前说了一句话，"大姐，您拍电视剧的吧？"这无厘头的疑问句，也成了我俩之间最常聊的开心小段子。

都说天妒红颜，上帝却特别眷顾周忆，被一个好老公疼着，还有一份好工作忙着。

作为她的闺蜜，告诉大家一个小秘密，约这个女生出来玩，请注意，是玩，我会有充分的心理准备，等上个把小时，甚至被她放了鸽子的事儿可是常有。国际会议、老板加班、贵宾来访、突发事件等等，理由名目繁多，你没法说出来她有什么不是，而且还一定会格外心疼她，安慰她，劝她不要把自己搞得太累太忙碌。

相聚的时光过得蛮开心，我们经常一起做SPA、做指甲、做头发，特别是一起晚餐、一起品酒、一起购物、一起旅行。周忆喜欢葡萄酒，但在专业知识上却不思进取，替她选过一款果香味浓郁的新西兰长相思，她喝得喜欢，就常订。晚上临睡前总要喝上一杯，她说那是助睡眠的，那感觉真像在喝单一麦芽威士忌。要是跟她两人一起晚餐可就更有趣了，挑酒的任务肯定是交给我来完成，一般她就喝那么一杯，我要把剩下的全喝掉，据说这样才会找到相似的感觉。她的酒量是那么的差，据说一杯长岛冰茶就能喝得醉倒了，相信我，总会找机会试一试她醉酒的模样。

一起出去旅行是件快乐的事。飞机上，我还是会把她身边的座位留给她的先生、我的潘大哥。两人坐在一起，似乎总是有许多欢笑和说不完的话题，20多年的婚姻生活，如此和谐的夫妇在身旁似乎已不多。儿子炮炮是周忆常挂在嘴边的一个主题。青春期的男孩子，自然会有逆反心理，她会通过自身的角色，给儿子建议，青春期应该如何度过。

作为IT行业的精英，周忆对时尚领域的敏感度、品味还是颇有段位的。她属于非典型性物质女生的代表，时不常也会用大牌奖励一下自己。还记得有一次她出差美国，买到了一只女孩子们都梦寐以求的爱马仕Birkin包包，她兴奋得当即给我发了短信，号称这是对自己一年努力工作最好的奖励。回来后，她还把如何成功买包的经历绘声绘色地讲给我听，这高兴劲儿，绝对不亚于一次升职提薪。谁家的老板，聘了这样的员工，还不开心得蹦起来。不过，跟风绝对不属于周忆的主流消费行为，爱美的她更喜欢选一些有特色的适合自己的产品来装扮自己。她曾经花了一个下午的时间与时装设计师郭培聊旗袍，历经一个半月，修改了三次，才等到了自己最满意的郭培旗袍作品。当周忆身着旗袍站在你面前时，绝对可以成为真人版的花样年华，写实版的杭州印象。

　　周忆喜欢腕表。在人生中的一些重要时刻，她总会选择腕表来记载光阴的故事。一枚朋友馈赠的红金版古董劳力士是她的最爱。她喜欢它的色泽，那是一种带着时光印记的金色，戴在腕间，古董机芯的美妙旋律与脉搏共鸣，那是天地间的和谐韵律，那是岁月的沉淀，那是美妙的记忆，何等享受。

　　在挚友面前，周忆多少有些杭州小女子的娇气，我相信，这完全是潘大哥多年以来的杰作。但她对待友人，更透出一份难得的真诚、细致和周到。朋友到京出差偶遇牙痛，她即便在外也要帮她找到最好的牙医；女友情感出状况，她再忙也会抽出时间发短信问候，倾听她的诉说，帮她解压、分析。她常说，在朋友最需要帮助的时候，你一定要伸出援手，这才称得上是朋友。这时的她，俨然不是西子湖畔的小女子，而是笑傲江湖的大丈夫。

　　由于在美国公司工作，周忆经常会去纽约以及其他大都市出差，她喜欢纽约和上海，喜欢喝咖啡，喜欢听音乐、看戏剧、逛博物馆，也喜欢到酒吧喝上一杯，是典型的City Girl（都市女郎）；与此同时，她也非常迷恋养育她的故土，她回到母亲的老家浙江平湖，去街巷里寻找家里老照片中的记忆；

她喜欢杭州的宁静安逸，喜欢八月的桂花飘香。

　　一次随她回到杭州，深夜酒兴未尽，相约了好友一起走西湖。街边摊的馄饨，热气腾腾的惹人喜欢，想吃却被潘大哥拦住。溜达到西湖边上，久久不忍离去。午夜十分，路灯昏黄，行人三三两两，风有些微凉。我们紧紧地靠在了一起，那个姿势后来被形容为"勾肩搭背"，很兄弟的那种，她实在是很瘦。西湖在我们面前宁静地显示着画一般的轮廓，我们的话题在午夜的凉风中延绵不断，那天晚上究竟说了些什么，后来谁都记不得了，只记得相互传递的体温，以及那份感动……

　　平日里工作忙碌，我在她的微博上只看不说，当有一天她历数我的行踪时，我发现她也经常会默默注视屏幕，算是对我短暂的无声陪伴与关注。我们彼此约定，还会一道再回杭州，在那样的夜晚，街边摊的馄饨一定还会热气腾腾。

人生有时需要一点自我加持

记得大一时参加总参系统的演讲比赛，我得了第一名。那时演讲辞的第一句至今印象深刻："青年是一首诗"。若真如此，那么我得到的一些奖项就是这首诗的人生韵脚了。

我从不为奖沽名钓誉，但也不意味着这些荣耀对我丝毫无益。它们给了我一分"自我加持"的信仰，使人生这条词路又通达了一点。

"加持"是佛家语，大意是"有一股能量附加在你的能力之上来扶持你完成志愿。"那是一种不可对外人道的奇异感觉，似乎打破了旧有的"我"的界限，赢来了属于自己的新疆域。

加持可以是外力：得道高僧的拈花一笑、朋友的忠言逆耳、家人的意恐迟归，甚至暖秋一抹斜阳的拥抱，都是。加持也可以是"内力"：在成长的轨迹里发掘出让自己坚持下去的蛛丝马迹，就好像"核聚变"一样，自我唤醒小宇宙。

其实，过往岁月里得到的一些奖项便可以算得上是我的"自我加持"——记得大一时参加总参系统的演讲比赛，我得了第一名。那时演讲辞的第一句至今印象深刻："青年是一首诗"，若真如此，那么我得到的一些奖项就是这首诗的人生韵脚了。

我身上有一种活泼的属性，生来就不是一个颔首低眉的怯弱个性，喜欢展示自己，也乐于参加各种各样的比赛。因此从小学到大学，也称得上是获奖无数。成年后忙于工作，无暇主动参与这些，却也还是有大大小小各种奖项会主动找上门来——我不为奖沽名钓誉，但也不意味这些荣耀对我而言丝毫无益。应该这么说，这些奖项给了我一次又一次认知"我的未来"的灵光，给了我一种自我认定的力量，给了我一分"自我加持"的信仰，使人生这条"词路"又通达了一点。

截至当下，我人生中有五个对我而言比较重要的奖项，它们在不同领域为我提纲挈领，勾勒出了一个隐约的未来。这些时刻，亦如我在青春岁月里的初恋。

我最早的一个"光辉时刻"，是念高一时参加第一届华东六省一市的作文比赛得了一等奖，然后拿着这篇文章参加同规模的演讲比赛，又得了演讲比赛的一等奖。那时国家在宣传"五讲四美"，我所在的学校让每个孩子写一篇稿子去参赛，于是我写了一篇《浅谈心灵美》交了上去。

可惜我已经完全找不到这篇文章了，庆幸的是找到了之所以写它的缘由——在1982年第6期的《语文教学通讯》上有我写的一篇文字："文章是不好硬'凑'的，一定要在有东西可以写，自己又很想写的时候才能写，才写得好。我上学校念书，每天都要穿街走巷，看见了不少人。我看到有些青年人的打扮：'长头发、低翼角、鼻梁架起茶色镜、紧身衣、喇叭裤，两脚登着火箭鞋'成群结队，招摇过市，引得人们都向他们'行注目礼'。一次，有一个小伙子来到了我们家，也是这样一身打扮。我家的'老夫子'爸爸狠狠地'克'了他（从前的学生）一顿。他却嬉皮笑脸地对我说：'这是美！小妹妹，美，你懂吗？'我大吃一惊，原来如此！于是，我就想，到底什么是'美'？我想，美，不是这样的，因为我所了解的美的、很美的人，都不是这样的。我要说说自己的想法，我的《浅谈心灵美》就是这样写出来的。"说实话，如若没有找到这个，恐怕连我自己都要以为当时并没有有感而发，只是应学校要求而草就的了。

这次获奖让我赢得了人生"第一桶金"，这篇文章在当时被诸如《上海青年报》、《解放日报》等多家媒体转载，每次刊发就有一笔稿费，于是十元二十元的累积下来，差不多也拿到了两百多元钱，我就让妈妈给我存着，考上大学后，我妈拿这钱给我做了一条呢子裤，还给我织了一件宝蓝色的毛衣。

最关键的，这次得奖让我看到了一个关于自己"将来的意向"，很多孩子在很小的时候根本看不清自己的未来，但在那时我已经在心里对以后有了隐约的期许：觉得日后我从事的职业一定是跟语言、文字、交流、沟通有关系的。连家里人也说，"妹妹（家里人对我的昵称）一定不是学理工的，日后一定是干这方面事情的人。"

我还记得，拿了奖之后，家里还特别花钱让我去照相馆照了一张相，当时也没什么好衣裳，穿的高领毛衣还是爸爸的一个学生借给我的。但我特高兴，算是那个 16 岁花季得奖的特别纪念吧。

第二个对我来讲颇为重要的奖是在大一那年拿的，当时我参加整个总参系统（包括所有部队、院校、各大局等）的比赛，又拿了演讲比赛第一名。

我已经忘了那次比赛的主题是什么，只记得当时自己演讲词的第一句是"青年是一首诗"，因为在学校还有好些轮的筛选淘汰赛，所以特别有意思，在预选赛后，我的这句演讲词成了所有认识我和不认识我的，那些来自俄语系、日语系、阿语系的同学见到我的第一句"问候语"，远远看见我就说，"青年是一首诗！"俨然成了一句当时学校里的流行语。

决赛在北京举行，于是我得以人生中第一次到了北京，那时上北京一趟还是挺值得骄傲的。学校的一个参谋领着我去比赛，住在军队宿舍。在那里见到了很多应该称为叔叔阿姨的参赛者，我是所有参赛者中年龄最小的一个，不过倒是不怯场，还与其中一位当时在山西总参分局的姐姐成了忘年交。

她叫吴白莉，我们在北京比赛的那十几天，在一轮轮的淘汰赛之间，她带着我坐公交地铁去玩转北京、吃烤鸭、延吉冷面……那时我刚上大学，还很青涩，而她就像个人生导师，跟我讲了很多事情，我们的友谊延续了很长很长时间，应该说这一生都结下了不解之缘。

如果说上一次获得演讲比赛一等奖让我赢得了人生第一桶金的话，那么这次的比赛经历让我认识了人的力量，她后来在我大学四年当中一直给我很多鼓励，给我写信一起讨论西方文学，也教我如何做人，她给了我一个劝诫，"周忆你别太冒进，我能看出你是一个特别有趣的女孩，也愿意做各种尝试和冒险，但人的一生很长，别太冒进，要审慎。往往能笑到最后的人，都不会很冒进，但却是每一步都想得很清楚的人。"我到现在一直记在心底。

也因为她给我的教导，在成年参加工作后，我没有任何奖项是自己"上赶着"去争取的。对我而言，工作成效就是我最大的展示。不过这些年下来，还是得到了一些评选的肯定，这对一个工作压力极大的人来说，不能说不重要。它们给了我一些坚持下去的力量，某种程度上，也不失为一点点前行的动力。

我家钢琴上放着3个奖杯，一个是2005年《瑞丽》杂志举办的"首届瑞丽伊人风尚寻找榜样OL"的评选奖杯，那时没有微博，也没什么个人的宣传，单纯只是靠杂志的宣传做投票。结果历经半年的评选，包括专家评比和读者投票，我的排分都在前茅，最后获得了"榜样魅力奖"，主办方给我的评语是"蕙质兰心"，还在三里屯走了红毯。这是我在职场这个领域第一次接受到这样的荣誉，内心的波动还是挺大的。

记得当时还去新浪聊天室做了个相关话题的访谈，我讲了自己对白领丽人的理解："秀外慧中，内外兼修。工作中要表现得精明能干有智慧；生活中要力争扮演好各式各样的角色——妻子、女儿、母亲。实际上只有能够将这些东西结合在一起，才能成为真正的丽人。我们叫白领丽人，既要做白领又要做丽人；既要精明地处理工作、不输给男人，又要在生活上美好地度过每一天。"

现在想想，当时这一番看似冠冕之词的"豪言壮语"我可真敢说，要做到这些多难啊！不过尽管很难，但我一直努力践行着：工作自不必说，从不敢怠慢；生活上也很用心在经营，每个周末无论多忙，只要不出差，我一定要为儿子和丈夫买菜做饭，跟丈夫一起打球。

与其说我是一贯如此，莫如说是这次获奖让我学会了一件事：说出的话不被变成泼出的水的第一秘诀，就是自己要先咬牙努力做到。

还有一个奖杯来自 2011 年《中国企业家》杂志举办的"商界木兰——年度中国最具影响力的商界女性排行榜"这个评选，我是当年 30 位商界木兰之一。这个奖给了我一个很大的震撼，中国优秀的商界女性太多了。而这些人能够走到今天，在聚光灯底下接受大家的掌声和鲜花，是因为她们在此前十年、二十年、三十年的时间里，没有一刻松懈过。她们绝对是靠着强大的意志坚持到了今天，她们有着钢铁一样的灵魂，且前行的脚步永远跟灵魂齐头并进。

女性面临太多的、男性有时无法体验和感受到的挑战，所以当我听到她们的故事，那些创业或者工作过程中的种种问题时，我觉得自己那点事儿，根本不算什么——这是我在这个"关键时刻"得到的最大收获。

我突然觉得自己不孤独了，本来工作中总难免会遇到一些事是对上不能说，对下不能说，对左右也不能说的，得自己扛着，用心去解决的问题，这个过程往往孤独得不得了。但是看到她们，我觉得大家都一样，谁也没比谁好多少。后来我们一起获奖的几个人就变成了朋友，经常聚在一块儿"互诉衷肠"。好姐妹之一的王潮歌在798开了个餐厅，经常邀我们去，我们在那里闲聊到半夜，彼此打气，彼此安慰，有了很多真实的存在感。

然后我在2012年获得了一个很特别的奖，美国《广告时代》（*Advertising Age*，简称*Ad Age*）将其首个"中国最值得瞩目女性（*China's Women to Watch Awards*）"的殊荣颁给了我。要知道，Ad Age这个评选在全球的营销界都闻名遐迩，尤其在国外，很多人以其在营销界经营一生能得到这个奖为荣。可惜我直到后来才知道它是全球最有影响力的营销界的媒体，也才知道原来我供职的公司总部的人对这个媒体所做的一些活动或评选是如此的重视。

我2012年初才开始接手公司营销层面的工作，因此说实话，在我未获得这个奖之前，压根儿不知道这个奖有多了不起。所以在2012年5月劳动节之后的一天，我的合作伙伴——奥美公关公司的北亚区总裁柯颖德（Scott Kronick）跟我聊天时问我是否听过"Women to Watch"时，我一脸茫然地回问他这是个啥？结果他身旁一个人接了句话，"You are the woman we want to watch！"

Scott大致解释了一下这是个营销界的评选，然后轻描淡写地说："今年这个奖会放到中国来，把2012年他们很看好的中国营销界的女性做一个评选。我们公司响应这个活动，在大中华区的董事会和客户之中做了一个筛选，最后决定所有人都不提，就提名你一个。"应该说奥美独独推荐了我，这是我的荣幸。但说实话，当时我实在没把这个当回事儿，只是觉得你要推荐就推荐吧，反正也不知道 "Women to Watch" 究竟是个啥，只觉得这个词听起来有点儿年轻人潜力股的感觉。

这事儿就这么过去了，晃眼间到了 7 月初，我收到一封来自《广告时代》亚洲版相关负责人的邮件，在信中她热烈地祝贺我获选了 "Ad Age's 2012 Women to Watch in China" 这个大奖，同时告诉我过两天她的外籍记者会给我打个电话，简单地问几个问题。再然后，在 9 月 5 日会在上海有个颁奖盛典，请我把领奖的时间记住。

她还把这封邮件抄送给了奥美的推荐人，于是一下子我收到了很多祝福，只是公司里的人并不知道我获奖了——主要我没太当回事，我们公司不需要用这样的方式来宣传它的品牌，它的品牌力量根本不需要这样的证明。而且公司不喜欢员工利用它的品牌做个人宣传，它是那样低调，所以我想无非就是获了个奖，低调一点儿就好。

说来很巧，我在接受 Ad Age 的电话采访不久之后就出差去了美国，然后发生了很特别的一幕。一天早晨我正在美国一个朋友家的地下室跟我的老板开电话会，突然我们内部及时通讯系统里负责亚洲区传媒的同事给我发了个信息，她说，"姐们儿，你把事儿整大发了！"，我一愣，"什么事儿？"，"你上 Ad Age 了！""你怎么连个招呼都不打，这事儿闹大了，公司老大看到了还问我们怎么这事儿都不通知他。"

我傻眼了，告诉她我也不知道文章已经出来的事儿，只是此前被告知当选了，然后电话采访了几个问题，我也没当回事。"这事儿有多要紧吗？"我问她。她说："你可真行，你不知道 Ad Age 的力量有多大，影响力有多大吗？公司很多人都在看这篇文章，你俨然成了'标题女郎'啦！赶紧看吧！"说着就把文章链接发给我了。看同事如此兴师动众，我问她是不是需要跟老大解释一下。她说，"赶紧解释一下吧，你不正好在美国吗，我做善后。"一听这话，我当时只感觉自己犯了一个天大的错误，觉得心里有点儿发毛，"原来这是个个人的公关危机啊？"

想了半天，我给老大写了封信："我今天被告知，Ad Age 把我评成了今年的"Women to Watch"，也刊出了相关的文章。我也才刚刚看到那篇文章，说实在的，我从来没想过要去沽名钓誉，这事儿是第三方公司推荐的，这当中确实有一家媒体来跟我谈过，了解我工作生活的一些状态，之后就杳无音讯了，我也不知道具体的发展，最近才通知我获了奖。我以为这样的事情是不需要来惊动你们的，没什么大不了。但突然我意识到这个媒体的影响很大，所以我再次跟你们说明，我没有一点儿要拿这个往自己脸上贴金的意图，既然选上了，也算是公司的一份荣誉吧。"我没多写，因为我也实在不明白这事儿要怎么去道歉。

结果没到 10 分钟，老大给我回封信，"恭喜你，周忆，这是个大事情，你被选上是你的荣誉，更是公司的荣耀！你的这次当选会让我们公司在大中华区这个市场显得非常（睿智）。"看到他的信，我一下子就放心了。就在第二天我们有一个全球营销高管会议，在我发言完毕后，我的老大、全球的CMO（首席市场官）上去把我获奖的事儿告诉了大家，而且还把那篇采访我的文章当众念了一遍，随后大家那种真诚的恭喜，这一切的一切，简直让我受宠若惊！

之后，公司还发了封致全球员工的新闻简报，主题关于三个"Super Women"，第一个是我，缘由就是因为我获得了"Women to Watch"这个奖。

另外还有两个人，一个是Irene，她是"计算机支持协同工作（CSCW）"的跨科学工作领域的创始人，在该领域有着卓越的贡献；还有一个是Lisa，她是我们澳大利亚分公司的员工，本职是Global Business Services（全球业务咨询服务部）高级管理顾问，她在2012年伦敦奥运会上拿到了马拉松比赛的第17名。

因为这封信，我又一次体会到了这个奖项的分量。也对于好消息和坏消息有了新的理解——我们公司有个原则，就是"坏消息要提前说"。但是有好消息时反而不见得要说。而这次的获奖让我明白了一点，无论是好消息还是坏消息，都需要有个预期管理，对于重点对象，都需要提前报备。

说说领奖当晚，那天我生着病哑着嗓子去了现场，也许是身体不适，看什么都觉得混乱，我多少有点坐立不安。但当我看到一段视频后，内心忽然安静下来了。那是一个对曾经得奖的女性的访谈，一位50来岁的营销界前辈说她职业生涯一路走来，大大小小的奖也得过不少，唯独这个奖让她特别珍视，因为这是她值得在自己不断更新的履历里一直"吹嘘"下去的，一个全球的认可。

看到这里我很感慨，想自己职业生涯一路走来，从无名小卒走到今天，在此时此刻拿到了这样的赞许，我觉得很不容易。幸得我在全球如此著名的一个企业品牌下工作，我的快速成长，是因为真正站在了巨人的肩膀上。

我用了二十年的时间做到了这一点，可能有点儿长，也许有的人十年也就拿到了，不过这才是我真实的人生啊，抓住每一个机会，迎接每一个困难，加之我才刚接手营销领域的业务，所以在这个节点上，得到这个奖，对我是一个莫大的支撑力量。

许多人的成长故事很传奇，但我的故事没那么传奇，就是一个寻常人家的灰姑娘努力长大的一个寻常经历。

只是寻常＋寻常＋寻常，就可以变成不寻常。

希望你也是。

第一章

有女初长成

小理想　大世界

BLOOM

"爱美"，是因为根上对自己的"在意"和"自持"，或许，这也是让自己力求变得更好的动力之一。

现在想来，在人生道路上，外语优势给了我一个又一个的巨大的机会，而起初的根源，只是因为我的爱玩之心。

你一定不可能永远待在这座城市。如果要走，走远一点。

神已经把手放在你的肩上，顺应"心流"就是了。

如果你立的志是喜好和天分因势利导的结果，且能为你带来实际的温饱，那就不叫"年少轻狂"，而叫"理想照进现实"。

爱美应是女子贯穿始终的事

爱美，良善。尽量做个优雅知性的女子，这样
男子看了欢喜，女子看了欣赏，自己看了岁月
不枉。

"爱美"几乎可以算作我人生中的一大"标志性建筑"。
现在想想，这件事一定是有DNA遗传的。

严格说起来，我妈绝对脱不了干系。

她出生在江南一个非常富裕的家庭，有点儿像巴金的
《家》、《春》、《秋》里描述的那种大户人家的样子。她也姓
周。在当地，说起平湖"白果树底下的周家"，基本上无人不
晓——兴旺时，全部佣人加起来有18个。房子是那种典型的
建在水上的深宅大院，我舅舅小时候要吃鱼，就直接打开窗户
把渔竿扔出去，一会儿鱼就端上桌了。

记得我九岁的时候去，印象最深的是"这房子里怎么全是
深红色？"后来大了才知道是紫檀，就连我的曾祖母拿给我玩
儿的那种小玩具，也都是紫檀做的。家里有树还有河，就跟森

林公园一样。只是家族最终没落了。日本人来时，宅子变成了他们在当地的总指挥部；内战时期，宅子是高级招待所；改革开放后，变成了被人参观的故居景点。

这个大家族一共五房子女，我的外公算是第五个少爷，因为是遗腹子的关系，各方面得到的都不够，所以是五房里生活最落魄的一户，得靠自己努力工作糊口。他在一艘轮船上做会计，遇到一个从浙江海盐来的小学老师，后来成了我的外婆。

所以等到我妈出生的时候，尽管背着名门的血统，却过着最为清苦的生活，像个落难的公主。所以虽然从小琴棋书画，学习和品德各方面都特别好，但是因为战乱，家里穷到真是没饭吃了，只能让她数次辍学去工作。可就这样她后来还考上了北大的俄罗斯语言文学系，只不过生了一场重病，中途辍学。

算起来，我母亲的前半生充满了各种失意，可就是这样，她那种与生俱来的大家闺秀的雅致和爱美的天性却一点儿没变，再苦也要活出一抹色彩来，这一点对我影响很深。现在想想，我人生里很多重要的决定，骨子里都跟这种爱美有关系。

我记得"文革"那会儿我和我姐都还是小孩儿，妈妈因为所学专业的缘故，那时根本找不着工作，只能靠给人做鞋做衣服补贴家用，能得到的也是微乎其微。爸爸是老师，当时在五七干校"劳动改造"，算是半囚禁和封闭状态，基本上一个月全家就靠爸爸那30块钱工资生活。

但妈妈是个持家好手，精打细算，到月底最后一天入夜，糖没了，味精没了，盐没了，正好第二天来工资了可以续上。但是这一个月里，我们基本上还能吃到西瓜，吃到鱼——跟住在这个大院儿里的其他人家比，虽然我们家只有一份薪水可以花，但是我们是过得最节俭也是过得很"滋润"的一家。

　　甚至还能穿新衣服，家人的衣服都是我妈自己做。对于衣服，她那时候一天到晚给我灌输的思想就是，不是大红大绿就是美。女人最美的时候，是穿那些低调的冷色系的素色的时候，就是有花色，也是清清疏疏的，不招摇才能透出气质。

　　甚至，她给我和姐姐做的衣服都没有多余妖娆和奔放的颜色，永远都是那种小格子，小碎花，然后蓝色、白色、灰色……唯独有一年，她给我俩扯了一块绛红色的灯芯绒料子做衣裳，那是我记忆中小时候仅有的一次身着红色，头上也没有什么小花小卡子，她给我们剪了一个短短的娃娃头，外人看着就已经很美。

　　有一次，妈妈买了一块的确良布给爸爸做短袖，特意多买了一点儿布，说"妹妹"（南方人叫自己小女儿的惯称）生日快到了，要给我做件圆领娃娃衫。姐姐说："那么一点布，哪够啊。"妈妈说："我会镶一些蓝色的花边，这样就够了。"

　　因为我年纪小一点的关系，所以常穿姐姐穿过的衣服，于是那几天等新衣裳，等的我那个期待。就看妈妈用那个老缝纫机，今天做一点，明天做一点，都快做了一个星期了。我说妈妈你能不能快一点儿，今天能不能把它做完。她说，"生日那天我一定给你做好，你放心"。

　　记得生日那天特别热，我一点点看着妈妈怎么把蓝边镶上去，怎么扎出滚边来，到了下午三四点，全部做得了，特别特别好看。我着急要穿，妈妈说再等一会儿，再给你绣一个小鸭，原来她那天出门特意买了个塑料的小鸭绣片没告诉我，绣上去以后，我看着那件衣服，那个幸福！

　　我们家那时住筒子楼的最西头，我穿上那件衣服，蹭蹭蹭跑到最东头，那家的女主人特别喜欢我，我就一路使劲儿叫唤着"沈姨，沈姨！"就冲过去了，见到她第一句话，"你看我的新衣裳！这是的确良的诶！"这句话成了我妈跟别人说起我时常挂在嘴上的段子，说"我这个小女儿，从小就爱跟人臭美"。

基本上，我这种"臭美之心"从那时起，就被妈妈种下了。

我记得好像是五岁那年的冬天，我妈给我和姐姐各做了一身一模一样的新衣裳，熬到大年初一可以穿了，到了中午吃饭——过年有好吃的菜，我却不好好吃，老把手放在桌下不知道在干什么。妈妈看在眼里，有点不高兴，结果看明白后，大家都笑喷了，原来我一直使劲儿在那捋裤子上的缝，想让它看起来挺括一点儿。因为我们那会儿是吃"大饭"，邻居等好多人都在一起吃，我早晨跟小朋友吹嘘过我今天穿的是不会皱的涤卡布做的裤子，可是实际上是卡其布的，所以玩了一上午已经皱了，我觉得特别丢人，就一个劲儿在那儿捋。

于是，大家都笑，说这个丫头，还没上学呢，怎么就这么爱美啊，在条件艰苦的情况下还要寻找一切关于"爱美"的因子，并因此觉得快乐丰足。现在想想，真是又好笑，又欷歔。

后来我才慢慢懂得，妈妈那种"爱美"，是因为根上对自己的"在意"和"自持"，或许，这也是让自己力求变得更好的动力之一。

爱美是一件对女人来说，应该贯穿始终的事。不是要天天都换新鲜的衣服打扮得花枝招展，不是要时刻盛装以待，而是一种对待自己的矜持和对待别人的礼节。我妈那时就算出门五分钟，去小店打个酱油，也绝不会胡乱地出门，一定是穿仔细了，头梳好了才出门，要端正。

"你自己对自己都随随便便的，别人对你的态度也可以随随便便的"，这是她教给我的最宝贵的做人之道之一。

英语是一种玩出来的天分

我爸是教古典文学的老师，结果，浸淫在古典
文学土壤里的我，却开出了外国文学的花骨朵。
现在想来，外语优势给了我这一生一个又一个的
机会，而起初的根源，只是因为我的爱玩之心。

我学英语纯粹是因为好玩。

现在想想，活脱脱应了梁实秋的一句话："人从小到老都
是一直在玩，不过玩具不同。小时候玩假刀假枪，长大了服兵
役便玩真刀真枪；小时候一角一角地放进猪形储蓄器，长大了
便一张一张支票送进银行；小时候玩'过家家'、'挽新娘子'，
长大了便真格地娶妻生子、成家立业。有人玩笔杆，有人玩钞
票，有人玩古董，有人玩政治，都是玩。"

我刚接触英语的那个时代，它更像一件可有可无的装饰
品，几乎没有人拥有要学好英语的紧迫感。所以大抵如果不是
因为好玩，我不太可能有那样的兴致，学得像今天这样，可以
称得上一个"好"字。

在我人生中最想玩也最有时间玩的青葱岁月，中国刚开放。那时对于"娱乐"这件事，中国人集体缺钙。看电影（尤其外国电影）算是"奢侈事件"，并不是常能看到，于是我和姐姐养成了一个特别有意思的习惯：听电影录音剪辑。

我们轮着番儿地听各个频道，比如浙江人民广播电台、中央人民广播电台等等。它们都有一个固定的时间会播外国电影录音剪辑，什么《基度山伯爵》、《悲惨世界》、《仲夏夜之梦》……鲜活生动，完全是另一个世界！加之其中的配音演员都是上海电影译制厂或者长春电影译制厂的专业配音员，声音腔调都特别迷人，感觉就像在听一部外国电影，我跟姐姐都快迷疯了！

于是每天放学就拼命往家赶，到家爸妈都还没下班，赶紧开火烧水，把米淘好搁在里面，然后打开收音机听电影。我们听了一遍又一遍，李梓、乔榛、陈汝斌……这些配音演员的名字个个如数家珍。后来我俩儿恨不得把每部剧的台词都倒背如流……天天听，等晚上听不着了我们就开演，姐姐演一个角色，我演另一个角色。

我们家那时特别逗，爸爸妈妈睡一张破破的小板床，却把家里最大最好的那张床留给我和姐姐，我妈又改不了那个"再难也要力求美美的"的落难公主气质，那时刚时兴尼龙帐，她就给我俩买了一顶蓝色的尼龙蚊帐，然后把从娘家带来的缎子给我们姐俩儿做了被面，姐姐是蓝色的，我的是粉色的，于是这张床成了我们家里最豪华最有色彩的地方。

我和姐姐就把床当作舞台，天天在上面演电影录音剪辑里听来的精彩片段，反正台词都滚瓜烂熟了。以至于后来有邻居专门跑来看——那时有个电影叫《舞台姐妹》，她说我们俩就是一出"舞台姐妹"。

我那时一边演，一边就幻想，长大了一定要去看看这个世界长什么样儿，去莎士比亚的故乡看看，为什么他可以写出那么美的《仲夏夜之梦》。说来也很有趣，爸爸是教古典文学的老师，所以"四大名著"之类的我都读过，那时他还整天让我背古文。结果，我却在古典文学的土壤里，开出了外国文学的花骨朵，相比之下，那些外国的文学作品，我怎么接受得那么快，无论多长的名字，一说我就记住了。我爸说，完蛋了，你妈妈的俄罗斯语言文学基因在你身上肯定是更占优势……我妈就笑，私下跟我爸说，姐姐会留在身边，走不远，但妹妹以后可能会走得很远。

　　也是因为总听外国电影录音剪辑的原因，所以上初中后，对有了英文课这件事充满了期待，好像觉得只要学会了他们的语言，就可以跟那些电影中的人物面对面了一样。可是等实际接触到教材，才发现怎么全是革命口号，而且尽管我那时还没有什么关于英文发音的辨识能力，但还是觉得英文老师念英语时的音调怎么那么难听，跟那些配音演员偶尔冒出来的英语发音很不一样。

　　好生气，觉得跟我姐演了那么多外国的王子和公主，英雄和美人，风花和雪月，怎么现实却这么"残酷"，而且当时班里大部分同学都把上英文课当成一个玩笑，觉得学英语干吗，百无一用，认真学英语？太可笑了。

　　愤懑的种子在我心中埋下，加之那会儿处于叛逆期，于是故意跟那个发音超难听的英文老师"作对"。他布置家庭作业，让每天抄20个单词，我明明写得一手很漂亮的古典英文字体，就是偏偏不好好写，故意把所有单词都粘一块儿写了交上去。结果这个老师还特认真，发回来的作业上批了朱红一道一道，把所有单词都断开。然后还写留言：你的字写得很好，不过以后请你分开写。

　　我多幼稚啊那会儿，心想终于达到目的了，我出气了，谁让你教得那么烂。也是那个时候，我在心里暗暗发狠，第一，我一定要把英文学好，要在同学里捍卫并且传播英文原本的美感。第二，我一定要当英语课代表，老师教不好的地方，我去教同学——有着那么多美丽故事的语言，大家怎么会把它当玩笑呢？坚决不行！

我问爸爸能不能给我找个老师，帮我纠正发音，于是，连着找了两个，第一个好像是"文革"前的大学生，专业就是学英文的，我一个星期去找她一次，但后来觉得她水平也有限，于是央求我爸再帮我找找。于是找了我们当时小城里师范学院教外国文学课的一个老教授，爸爸领着我去，跟他说："这是我女儿，想跟着您学英文。"那个老教授说："学英文干吗，也没什么用。""拗不过她，她就喜欢看外国文学，喜欢英文，所以您能不能教教她。"于是我就跟着这个老教授学英文，两周去一次。他文学和语法功底都很好，我就跟着他猛学。过了一阵子他跟我爸说，"你这个小女儿真是聪明，不过我觉得光我教她不够，让她跟着广播自学一些课程吧"。

那时我们上午四节课，下午三节课，学校离家特别近，回家吃完饭有一段休息时间，我姐姐绣花，我就听英文广播。每天中午十二点半到一点，从初一开始，整整坚持了五年。

那时我家邻居里有位特别有名的教授，他每天下午都会听日语节目，于是，我的中午十二点半，他的下午四点，成了这个楼道里固定的"交响乐时间"。要是哪天到了这个点，广播声音没有照常响起来，要么小孩儿病了，要么老头儿病了，肯定有事儿。到后来，如果我的广播没响，会有邻居来敲门，问怎么回事，今天怎么不响了。

就这样，初一下半学期，我当上了英语课代表。然后老师经常不来上课，我就当小老师。说"今天老师不来了，小周老师给大家讲一课"。我把课本里的东西结合在广播里面听来的教给他们，到最后，我们那个班报考外语专业的人是整个年级最多的，30 多个人里，有大概五分之一报考的都是外语专业。我到现在还记得，我当时的同桌徐双双报考的是杭州大学德语系。

现在想来，在人生道路上，外语优势给了我一个又一个的巨大的机会，而起初的根源，只是因为我的爱玩之心。

爱玩，很好啊！说不定，这是造物主给每个生命在成长时期的一点人生方向的暗示呢。

如果要走，走远一点

在字典的扉页，他给我写了一行字：你一定不可能永远待在这座城市。如果要走，走远一点。

　　我喜欢三毛。以前看三毛的《稻草人手记》，看她写自己出国远走的那一段："几年下来，偷儿积案如山，已成红花大侠。一日里，偷了中华机票，拜别父母兄弟，漂洋过海，向这花花世界、万丈红尘里舍命奔去。"每看及此，便会想起我自己的第一次"远走高飞"。

　　其实，跟后来频繁地出国比起来，真正让我有"走得很远"这种感觉的，还是十八岁高考上大学，离开故乡的那一次。

　　那年夏天特别热，考场里没有风扇，只放了大大的几块冰。我那时瘦得要命，身体素质也不太好，大考那几天，基本上中暑是考试的并发症……总之最后高考成绩不如自己预期——尽管语文成绩是整个浙江嘉兴地区的第一名，但是地理发挥不太好，那些季风到底是从哪儿吹向哪儿我始终也没弄明白，成绩只算中上。

当时我最想去的学校是南京大学，那儿有全国最好的英语语言文学系。按说我的成绩达不到录取标准，但因为小学初中拿了几个作文和演讲比赛的大奖，算是在浙江当地小有名气，所以南京大学正在考虑特招我。

可就在这时，隶属于中国人民解放军总参谋部（简称总参）的洛阳外语学院来了三个招生老师，当时会有专门的招生老师去生源所在地看学生资质的高校，几乎是凤毛麟角，何况还是三个穿着军装的帅哥美女——要知道那时能穿军装是一件多么拉风的事儿，比今天一身普拉达（Prada）或者杰尼亚（Ermenegildo Zegna）还有范儿，所以他们一来就在我们学校引起了轰动。我去学校看成绩，见到这三个人，觉得很特别，不过心想反正跟我没什么关系，我以为他们是部队文工团的，来招文艺兵……

那·整天我就在学校里晃晃悠悠，看成绩，跟同学聊天，只是隐隐约约，总觉得那三个人在盯着我看，尽管有点奇怪，但也没多想。因为我的志愿已经填好了，第一志愿是南京大学，第二志愿是华东师范大学，第三志愿是杭州大学，全部没逃出江南——妈妈根本就不打算让我去任何远的地方，这多半跟她早年间考上北京大学俄罗斯语言文学系，结果上了一年学水土不服最后生病退学的经历有关；而我爸那段时间在佳木斯出差，联系不上。

结果很戏剧性，到了下午五点左右我正准备回家时，这三个人迎面朝我走了过来，带头的那位男教员直接叫出我名字，周忆。我还没来得及惊讶他怎么知道我的名字，他问我，"有没有兴趣上军校？"我就傻眼了，"军校是个什么地方？"他笑了，"你知道吗，很多女孩子都梦想上军校。""为什么？""第一，可以穿军装，多神气！第二，我们是军队的外语学院，你毕业以后是要给首长当高级翻译的。"

他接着说："甚至啊，你还可以去驻外做武官呢！"他把这个学校里有过的，可能只是千万分之一的成长案例讲给我听，听得我心扑通扑通直跳。我问是重点大学吗？他说，"当然了！我们是第一批特招的学校哩。"我又问，那你们在哪儿？他说在河南洛阳。"洛阳在哪儿？""离这儿不远，坐火车到郑州，沿陇海线再走一段，就差不多到了。"

"我们今年在浙江的招生指标就七个，一个女生六个男生，你就是唯一的那个女生。""为什么是我？""为什么不是你啊，我们在这里的几所中学转悠好几天了，也注意你很长时间了，我们的判断不会错。你不是想学外语吗，洛外是培养外语人才最好的学校。"我歪着脑袋想了一下，问了一句："真能穿军装？"（现在想想，我实在是太爱美了！）那个老师说："当然能，而且以后你还能到北京去。"

这么说吧，他所说的全都是你最想要的部分。听得我着实心动了。于是我跟他说，我回家跟妈妈商量商量。他问："你家在哪儿，我们跟你一块去。"结果，他们接连三天去我们家，去说服我妈，说服我。我那张已经填好的志愿表是改了又改，修正小纸条不断地贴又不断地撕掉，到最后，我成了我们学校最后一个交志愿表的。

妈妈坚决不让我去，一面说我去了会水土不服，会生大病，会没吃没喝；一面猛生爸爸的气，因为我爸仍然还在佳木斯出差，那时也没有手机，写信要一个星期才能寄到，妈妈就生气，说你爸在关键时刻"背叛"了我们……

这期间，尽管最后的决定是我下的，但是有一个人对我的选择起了非常积极的推进作用，他是我父母的一位老朋友，看着我从小长大。当他得知洛阳外语学院的老师来找我这件事后，什么也没说，而是去新华书店给我买了一本英汉辞典，在字典的扉页，他写了一行字，他叫我的小名："思思，你一定不可能永远待在这座城市。如果要走，走远一点。"

我收到这本字典的那个晚上，在阁楼上我的小房间里，给妈妈写了一封长长的信，因为我真的不忍心看着妈妈的眼睛跟她说这些话，每次说她都要哭。信的大意是说，我决定了，去上军校。虽然我根本不知道这个军校是干吗的，不知道因为这样的选择会让未来的生活变成什么样，但是用宗教一点儿的说法来讲就是，神已经把手放在你的肩上，顺应"心流"就是了。所以，Follow my heart（跟着心走），而我的心，要我选军校。

军校是个什么地方？

军校就是一处修道院，既来之则安之，我就把
我的功底打好，为去闯花花世界做好充分准备！

　　上了开往洛阳的火车，一路从江南蜿蜒北上。进入黄土高坡以后，对于我这个从未离开过南方的小女生来说，惊讶连连。那些原本在课本里才会出现的窑洞是一个接一个，还看到裹着白羊肚手巾的人。坦白说，当时的感觉还蛮失望的，心想我怎么跑到这么个穷乡僻壤的地方来学外语啊，学外语不都应该在很发达的城市才对吗？所以我这一路都在不断地给自己打气，心想不管如何，穿军装还是很神气的，而且肯定有一个授领章帽徽的仪式，站在那儿一定很帅——我就靠这股臭美劲儿支撑着来到了洛阳，支撑着我下火车后坐上了部队的军车，被拉到一个叫谷水西的地方——洛阳外国语学院。

　　洛外门口只挂着一个八一军徽，既没有总参的字样，也没有学校的名牌，什么都没有，后来一想也是，这种总参学校培养的都是军方的特殊人才，怎么可能挂这些。车驶入学校，看到的全是红黄相间的楼房，完全不像想象中的大学宿舍，活脱脱就是军队的营房。路面被扫得特别干净，可就是都是土路，一点儿也不漂亮。路上有排队走着的学生，我当时还以为是当兵的，他们边走边喊着口号，还唱歌，女生非常少。

我从车上下来，看着眼前陌生的一切，有点儿懵。后来听几个学长跟我形容他们看见我的第一眼：典型的江南小美女，穿着一条碎花的"布拉吉"（在俄语中布拉吉就是连衣裙的意思），头上系着一条同样布料的发带，穿一双白色球鞋，拎着一个小皮箱，从大卡车上跳下来——据说当时还引起了不大不小的轰动，不少人特意跑来看我，纷纷说又"骗"来一个小美女。

我在不断地后悔这个选择与不断给自己打气的矛盾状态里找到了宿舍楼，走廊里黑乎乎的，一股厕所味儿。进门后看到土黄色的床单、军被，还有一堆绿绿的东西，细看是我的军装，就那样扔在床上。旁边，我看到一堆领章、帽徽也扔在那儿——我简直要气死了！没有授徽仪式，什么都没有！旁边一个女孩儿说，什么授徽不授徽，说让自己缝上去。

我基本上是彻底崩溃，唯一的盼头也没有了。想折返回家的冲动拼命压下去之后，脑中的第一个想法是：我要吃奶粉！一定要去买奶粉！我问学校小卖部在哪儿，她们说正好也要买暖瓶和水盆之类的东西，所以全宿舍集体出动，结果零七八碎，我买的东西最多。奶粉买回来，没有热水，也不知道去哪儿打热水，我就干吃奶粉——我想回味，回味家的味道。

第二天早上六点，我被军号叫起了床。之后的一个月军训，简直像噩梦一般，干得全是我不擅长的事儿，打靶差点儿没把同学的脑袋给打了——射击考试，有个同学负责给我举牌，本来是打完一枪后，对方去看靶上中几环，然后相应报数举牌。结果……还在间隔的准备时间里，我的子弹就嗖地一下飞出去了！……还好没打中人，不然就算不是实心弹，那位同学也一定要受皮肉之苦。

总之，那个月过得痛苦而漫长。直到开始正式上课，发现这个学校里藏龙卧虎之后我才静下心来。比如国内著名的翻译家、英语大师许渊冲，就是我们学校毕业的。随着时间的推移，我越来越发现，在那些肥肥大大的军装里面，原来藏着那么多国内顶级的英文教师——军装只是个统一符号，这个符号后面，是一个个睿智的、知识渊博的、活生生的英语大师！坦白说，我那一直想"潜逃"回家的小念头，直到开始上课后才真正打消了，真正定下心来。

到了大三，开始有了翻译课和英语文学课之后，上课的感觉就更好了。那时教我翻译的孙致礼教授是国内著名的英美文学翻译家，他翻译英国文学大家简·奥斯汀的《曼斯菲尔德庄园》无疑是国内最权威的版本；大四时教我翻译的冯庆华教授也是国内英语教育界的顶尖级人物，他现在是上海外国语大学校长……简单说，学校里随便出现一个老师，都有非常了不起的背景。我那时就想，当时去录取我的那个教员果真没骗我，这所学校太棒了！

图书馆也是一个让我无比享受的地方，里面有很多原版的英文小说，这在当时属于奢侈阅读。因为图书管理员是教我英文的一位老师的爱人，我和他也渐渐熟悉起来，他们夫妻俩儿，一个教我英语，一个借我原版小说，不仅如此，还给了我不少他们自己家里的原版小说，以及卡彭特乐队的磁带。

到我大四的时候，基本上整天都跟好多老师"混"在一起，跟同学反而有点儿"脱线"的感觉。当时学校又来了一批三十岁左右的年轻教员，可能因为年龄差距不大的关系，也比较玩得来。当时洛外有四块网球场，我打网球基本上是这些老师给启的蒙。

我的学习成绩在年级上算是数一数二的，所以基本上到了大三，学校就已经明确告诉我等到毕业分配，我可以留校。但我一直拿不定主意，后来那些教员跟我说，选择留校最明智，学校各方面条件都还可以，如果分配到边远地方会有很多不便。而且留校教书课余时间也充裕，一年后去考北京外国语学院的研究生，学成出来，人生的可能性就又不一样了。

我认真想了想，深以为意。于是心也定了，学习起来跟玩儿似的——反正军校生活，不能谈恋爱，又不能烫头发臭美，甚至不能改那些肥大的军装尺寸，既然什么都不能，那就好好念书嘛，念着念着，美感就出来了。大四那年，全国英文专业统测，随便考着玩儿，我考了个全国第十。

军校就是一处"修道院"，既来之则安之，我就把我的功底打好，为去闯花花世界做好充分准备。

不过说起来很有意思，学校不让谈恋爱，结果我这四年真就这么傻乎乎地过来了，看书之余，跟老师们打打网球，听听卡彭特乐队和《美国之音》，也没觉得有什么不好。殊不知原来爱情世界也可以有地下党——毕业那天，分配方案一公布，到了晚上我就发现原来不显山不露水的同学里头，居然有那么多一对儿一对儿！就我傻站在那儿，心里顿生一种孤零之感。多年后与当时的同学聊起，问及为何当年班里没人追我，同学笑，"你成天跟老师混一块儿，都以为你跟哪个老师已经对上眼了，谁敢惹你？"

就这样，我大学四年的修道院生活画上了句号。只记得因为我留校，所以送了一波又一波的同学离开，印象最深的是有一天去送别，有个女生，遗憾我都想不起她叫什么了，可能看出了我形单影只的失落，于是在上车后又转头欠身在我耳边悄悄地说："周忆，我相信，你的爱人一定在远远的地方，不在这里，他一定比你大很多，你一定会幸福，我一生祝福你。"不知为何她会这么说，但这话，我到现在都那么清楚地记得。现在想来，这算是一种预言吗？

如果问上这所大学对我个人来讲最重要的意义是什么？我想，应该是让我习得了"决定自己"这个本事。从上大学开始，可以说我人生所有重要的决定，都是自己安排的。

十八岁，我给自己做了一个重大的决定，离家数千里，去了遥远陌生的河南上大学。二十六岁，我又给自己做了一个重大的决定，就是嫁给了我先生，这个男人大我六岁，结婚前甚至连我爸妈的面都没有见过。

父亲的口袋

父亲是一个银行，发行知识，支付爱。

　　我先生一直搞不懂为什么我从跟他谈恋爱的时候起，每次去看电影都喜欢把手放到他的裤兜里，然后让他也把手放进兜里攥着我的手，"我拉着你，或者你挽着我的胳膊不是挺好吗？"他不明白。

　　我没法儿跟他解释这个习惯，这是我记忆深处一个特别温暖的小秘密。

　　小时候，正赶上文化生活相对枯竭的时期，那时看电影是最大的享受。爸爸特别爱看电影，只是不见得都能弄到票，好在他认识当时电影院的放映员，所以买票还没有那么难。我记得电影票是一毛两分钱一张，妈妈不爱看，爸爸就领着我和姐姐去。

　　我太小，电影未必能看懂，只是图个新鲜。唯有去看电影的那段路是我最大的期待，其实从我家到电影院特别近，我当时多么希望它的路程能长一点。因为我血液循环差，尤其是冬天，手特别冷，我爸就把我的手一抓，揪来放在他的口袋里，然后用自己的手握着我的手，慢慢地，成为一个习惯。

这个习惯一直保持到我父亲去世前几年。最后一次，他到北京来看我，我带他去散步，现在想起来特别难受，因为我再也没有这种机会，可以把手放在他的掌中了。

所以亲人之间，没有那么多大道理要讲，也没有那么多需要宣扬的东西，说什么都是多余，太多的东西，不足为外人道。

我只想今天下班后，给妈妈打个电话。

你很清楚那不是你要的生活

人一定要趁年轻时，尽量长成自己希望的样子。别匆促接受眼前的限定，而忘记了自己从少年时就最希望实现的事。古语说，"人如何谓之立志，先要辨得何等好事，是我断做得的，是我必要做的"。说的就是这个道理。

早年看亦舒写文章说，"这世界像一个大马戏团子，班主名叫'生活'，拿着皮鞭站在咱们背后使劲地抽打，逼咱们跳火圈、上刀山，你敢不去吗？皮鞭子响了，狠着劲咬紧牙关，也就上了！"

于是急慌慌，懵里懵懂被生活的大车轮撵着往前跑——学了明知不喜欢的专业，做了明知不喜欢的工作，嫁了明知感觉一般般的人……一晃眼，已经在"班主"的吆喝催促声里稀里糊涂过了大半辈子。

及至暮年回首，除了空余嗟叹自己这一辈子最大的遗憾，是还未曾真正开始自己想要的生活就已经要结束，并以此为茶余饭后的谈资之外，好像也不能再做什么实际的改变，这怕是生而为人最大的悲剧了。

所以人一定要趁年轻时，尽量长成自己希望的样子，别匆促接受眼前的限定，而忘记了自己从少年时就最希望实现的事。只不过，少年主意多。往往分不清当时的头脑发热立下的是志向，还是轻狂荒唐。一如好高骛远，明明天分平平，硬要做些需要天分极高的尝试；二如从众随流，看别人都学了金融，就抛下自己喜欢的文学浑浑噩噩跟了去，不想性格禀赋里自己到底适合什么，喜欢什么。

古语说，"人如何谓之立志，先要辨得何等好事，是我断做得的，是我必要做的"，说的就是这个道理。如果你立的志是喜好和天分因势利导的结果，且能为你带来实际的温饱，那就不叫"年少轻狂"，而叫"理想照进现实"。

拿我自己举例子，小时候最大的理想就是可以有朝一日出国去看看外面的世界，这也是我热衷学外语的最大动因。所以当我有机会选择自己的人生时，我会想办法离自己想要的生活近一点。

于是，当我研究生毕业在解放军外国语学院教了两年书之后，因为结婚的关系，可以有机会转业调到北京，那时候还包分配，当时相关单位给我分配了三个今天看上去都非常得体的工作——大国企的外事处，全国妇联国际交流处的工作，某大学的英语老师。三个都很好，都是"铁饭碗"，但我做了一个在当时让人很瞠目结舌的举动：主动放弃了机会，一个都没选。

我的想法是几经艰难才转业到了北京，我实在不太想再进国家机关，因为之前上大学和后来工作的学校是属于军队系统，我已经经历了那么多年的"体制内生活"，我想试着过一次别样的生活；妇联那份工作是因为我对工作内容不了解，年纪太小，想当然地认为妇联就是整天跟一帮阿姨枯坐在一起解决家庭纠纷，觉得不好玩；再者，我刚从学校出来，也不想再进学校——总之呢，我当时想得特别清楚，一定要重新开始一种新生活，这种生活要更贴近我小时候想出国到处看世界的梦！

这就是我主动放弃那三个分配单位的最大原因，它并不能让我离自己的理想状态更近，虽然是企业外办，或者工作内容是跟英语有关，但是环境是有局限性的，它仍然是中国语境和工作模式下的"外语世界"，而不是"国外的世界"，所以我很坚定，我不需要你给我分配工作，我要进外企，只有进外企，才能真正接触到外面的世界。要知道当时的外企可不像今天这么热门，当时大部分学历好的人都进了国家机关和事业单位，相反选择进外企的人并不多。现在想来，可能当时不少人都认为我的决定够"古怪"。好在我先生很支持我的决定，在那个"研究生毕业主动找工作"还是稀有事件的年代，关键是你也不知道主动找工作应该怎么做的时候，是他陪着我，去外企聚集地"求职扫楼"。

这事儿细说起来是这样的，那时我刚和先生结婚，有一天我们去友谊商店买东西，出来后突然冒出一个念头，不然我们到东边去看看。因为我到北京以来，上学在西边，后来成家了也是住在万寿路附近，所以基本上活动范围就都没离开过西边。

于是那晚我们打了辆面的——那时北京只有三环，我们就沿着东二环东三环在东边让司机开了一圈，看了一圈儿后傻眼了，怎么那么灯红酒绿，其实那时也没有那么多酒吧，只是觉得灯很多，特别漂亮。这一圈儿下来，我印象最深的是国贸大楼，当时还没什么高楼，就这一栋楼在那儿竖着特别显眼。车从楼下经过，我就这么看着，觉得在里面上班应该是一件很幸福的事。

我就问我先生："你知道国贸里都是些什么公司？"他说只知道这好像是外经贸部的楼，所以里面估计是些贸易公司吧。我又问他："是外企吗？"他说，"有可能啊"，我一听还有点儿莫名小激动，"那咱俩哪天进去看看！"因为我想，既然是外企，肯定都是跟"洋人"接触，那没准儿就有机会出国，我早就想看看外面的世界了。其实当时我根本不知道外企都是干吗的，觉得离我特别远。谁曾想我这么"随口"一说，先生却很认真地回答我："好，哪天我陪你去看看，那你要把简历写一下，咱俩去投。"我心想，成，反正试试看怕什么。

于是挑了一天，我做了简历，把先生给我买的一身儿当时对我来说比较洋气的衣服穿上，就去了。到了国贸楼下，我们两个连大门在哪儿都找不着，兜兜转转找了半天才从中国大饭店那边进去了，进去后就站在大厅里看门牌，哪一层都是什么公司。那会儿既没有网络，也没有什么企业通讯录，所以只有到现场去看。我们边看边商量，一回头，只见保安在旁边虎视眈眈地盯着我俩，估计看着这两人"鬼鬼祟祟"、"交头接耳"的很可疑。

随便看了几家，很多都是写着某某公司首席代表，办事处什么的，当时国贸楼里日资和德资企业特别多，好像还有荷兰的企业，我记得有壳牌，反倒是美国的企业没有几家，楼层门牌都没有写满，好多还空着，哪像现在，满得根本排不下。

看了一圈儿，我们都不知道具体公司业务都是干吗的。只记得我们看到"全日空"之后还聊天儿，先生说："全日空，全日空干吗的呀，是说整天都空着没人吗？"说完我们俩都乐坏了，后来我说："别瞎说，全日空我听着像是航空公司，你说咱去航空公司试试行不行？""行啊！"

我们就到了国贸十三层，当时这层一共有三家公司：全日空、摩托罗拉，还有一家名字特长的人力资源公司，具体是什么我忘了，就这三家。我就站在过道里看，全日空前台站着的人穿着特别漂亮的制服，就跟日本空姐穿的一样，戴着一个红色的帽子，特别养眼。

我就敲敲门进去，说我想求职——现在要这么干，估计能把人笑死，肯定是得通过HR部门投简历。但当时一切还没那么规矩，加上我也真挺楞，就直接闯进去了，跟人家说我想找工作，我学过什么，是什么学历等等，然后全日空那姑娘脸上浮起特职业的微笑，跟我说他们那里只找说日语的，不找说英语的……铩羽而归。

从全日空出来，看见旁边的摩托罗拉，前台坐着的人穿着个毛衣牛仔裤，看起来过于随意，而且门口还养了一缸金鱼！我就觉得这什么公司啊，这么没有仪式感，都没进去就走了，殊不知人的命运有多玄妙，没过多久，我就进了这家公司的大门。

其实那天我总共也不过跑了三五家，我这人太好面子，到了门口敲门，说我想找工作，人家都跟我挥手，要不就是说领导今天不在，要不就说负责人不在，差不多都这样，所以简历基本没递出去。

我到前台去跟对方讲我要求职的时候，几乎都收到同样一个信息：这个公司就两三个人，首席代表加助理，还有前台，没有了，而且也不需要。因为那会儿刚刚改革开放不久，外资企业即便进入了中国也还在观望期，它们就是占个坑，设个办事处，先有个形式上的分公司，但实际上未来要怎么发展，甚至要不要在中国发展都还没有想好，所以基本没什么业务需求和岗位需求。

我当然也是后来才知道的，这里面，反倒是看上去特别随意的摩托罗拉独具眼光，在改革开放初期就进入到了中国，等我去的时候，其实它已经非常有规模了，在天津已经有四家工厂，我离开的时候已经扩张到了十五家工厂，所以摩托罗拉算得上是第一家在中国吃到新鲜螃蟹的企业，九几年那会儿，生意好得不得了，所以公司装潢上够不够有仪式感，他们根本不在意。

　　总之，我那次扫楼求职是失败的。除了大背景的因素外，我个人真的是不知道该说什么该做什么，太青涩，除了外语我什么都没有，而且贸然跑去，也实在是莽撞了些。不过这趟跑下来，给我的刺激很大，跟那几个有限的人谈过话后，看着那些在里面工作的人器宇轩昂地走来走去，心里很不平静。要知道，中国最早那批在外企工作的人都没有太高的学历，所以我出来后心情特别复杂，就觉得我也是正经名牌大学硕士毕业，当时绝对的高学历，我凭什么落得这么一个结果。

　　但也是这一趟，坚定了我要进外企的想法。总觉得内心有个声音告诉我，如果在这个时间点我再不进外企，就太晚了！我也不知道这种感觉从何而来，但这次扫楼回来，我心里就一直有这个声音，而且特别坚定，我要通过这个平台去看世界，而且只有通过这个平台，我才能真正去看世界。如果人在年轻时不能走出去看世界，将是我此生最大的遗憾。

　　我就跟我妈说，我要进外企，我要去做"洋买办"。妈妈一听特紧张，说你可千千万万想清楚了，你这一走，可就彻底从体制内出去了。你没了稳定的工作，没了铁饭碗，人家让你走你就得走，到那时你怎么办？我想得特单纯，我说我好好做，努力做，一颗心全投上去做事儿，我还能失业？我才不信呢！

　　要知道，那还是一个大学毕业包分配工作的时代，放弃分配的单位自己找工作这事儿，其"恶劣"程度，就如同在婚姻包办的年代，你不听父母之命媒妁之言，非要自由恋爱一样。就算说得再好听也是个非主流，总要接受点异样的眼光。

　　但我宁可接受这样的洗礼，因为我很清楚自己想要什么，我想触摸到真正的西方社会，小时候听了那么多根据西方小说录制成的广播，听了那么多美丽的故事，我是那么强烈地想知道那里的人是怎样工作与生活的，他们的眼界和人生与我们有什么不同，那是我从小就特别好奇的世界，我只想每走一步就离它近一点儿，走近了才能观察。这对我来说是顶顶重要的事，我不会因为要谋生就放弃支撑我一路走下来的这个信念。

说来也巧，就在这当口，有一天我先生下班回来问我，你要不要去公关公司试试？我那会儿才知道，原来世界上还有这么一种公司，专门跟公共关系相关。我先生说，现在有一种行业就叫公关，客户都是外资企业，帮它们做活动、请记者什么的——他间接认识的一个人认识一家法国公关公司的老板，问我要不要去应聘试试。

我当时就犯怵，我也不是学新闻的，去了什么也不懂，怎么弄？我先生就安慰我，你英文好，服务外资企业肯定用得上，而且这家公关公司也是外企，符合你的理想方向，去试试怕什么的。我想想也是。

于是，傻丫头一个，一直待在学校，也没进过外企，也不懂公关，什么都还是懵懵懂懂的状态，就去面试了。公司在东二环东四十条桥的港澳中心，我住在万寿路，于是就先骑车到地铁口，然后倒地铁、换乘，到了那家公司。

一进门，发现公司非常小，空间也就够容纳十几个人的座位，老板的办公室占了整个公司的一半，一面玻璃墙把自己和员工做了隔离，其他人就缩在外头。面试过程其实也简单，我那时法文也不错，英语当然更好，所以老板先用法文跟我交流，然后又用英文跟我聊，面试了大概一个小时，最后他跟我说，"你本来是不够格的，你没有任何这方面的工作经验，只教过两年书，但是你别看外面现在工作的这些人看上去牛哄哄的，他们所有人都比不过你，你的语言非常棒，我也看过你写的东西，你潜力无限，这是我选择你的唯一理由，我觉得你的语言和眼睛在告诉我，你能做。行，就这样吧，一个月 850 块钱。"

我心想，哇噻！外企就是不一样，我在学校教书时已经到营职级别了，一个月才拿 380 元，这一下子翻了番儿，真好！不过就算确认人家要我了，我心里还懵着呢，这就要我了？我感觉自己都还没想好呢，就像法国老板说的，我也没有海外工作经验，而这里有三分之一的人在海外工作过，我真的行吗⋯⋯

就这样，心里多少有点儿踌躇，不过脚步倒是毫不犹豫，坚定地迈向了我的外企生涯。

完成这个选择的那一刻——很戏剧性的，过往恰同学少年时的一些零星镜头在脑海里如此真实如此清晰地浮游上来，像冬眠期后的鱼儿沉寂多时终得见天日：跟姐姐在家里的大床上出演外国电影里的桥段，在大家都把学英语当成笑话的年代缠着爸爸给我找英语家教，每天中午十二点半到一点雷打不动的听英文广播，叔叔跟我说："你一定不可能永远待在这个城市。如果要走，走远一点。"⋯⋯

我并不是宿命论者，只觉得自己这一路走来像是个典型的逻辑推理题。你想啊，一个生来关键词就镌刻着"英语"和"想看尽大千世界"的人，最后进了外企，没有意料之外，只有情理之中。

所以，每当现在有年轻人问我"年少时是如何坚持理想，以及这种坚持对改变一生有什么样的意义"时，我总是有些词穷。亲爱的，我之所以如此坚持，并且能够坚持住，与那些惯有成功学模式教导的"人要走好关键几步"之类的攻略无关，只与自己的灵魂和脚步有关。

因为，你很清楚那不是你想要的生活。

于是，在人生这个大片场里，我抹抹脸换了个角色，悄然地改了镜头移了景，登上了新的舞台。

第二章

菜鸟养成记

小成长　大飞跃

BLOOM

人们总是以对某个人的第一印象为背景框架，去理解他们后来获得的有关此人的信息。尤其在职场上，"第一印象"的重要性更加立竿见影，而"入职第一天"是建立最初印象的关键点，所以要坦诚自然，要心明眼亮，要好好把握。

能在企业里基业长青的美人跟梅花一样，都是香自苦寒来。

试过百米冲刺吗？那意味着开始就要进入状态，然后，中途的加速和冲刺后的虚脱，还有触线时耳边排山倒海的欢呼声，令人疲惫至极却也兴奋至极。

更多时候，你是要做一个决策型的领导，要会拍板，要有勇气在关键时刻做决定，而且你要说服大家。当你显出一个决策者的魄力和风范的时候，无论你底下人的专业能力比你强多少，他都会服你，因为他在这个方面永远不可能做到像你一样。

外派对于一个人的视野、人际关系和工作能力的养成来说都是非常重要的一课，如果你有外派的机会，千万要好好使用它，以此为自己的职业生涯加分。

装扮很重要，但更重要的是，永远要知道你是谁。也只有这样，才能像张爱玲在《更衣记》里写的那样，让衣服成为自己的"一种语言"，一出"随身带着的袖珍戏剧"。

身在外企，不曾海归

当你以学历作为敲门砖进入外企后，在时间和
实践的流变中，那些永久不变且弥足珍贵的核
心竞争力是什么？说到底，学会"因时而变，
因需成长"这件事，无论在什么时候，什么环
境都永远入时。在进入企业后，决定你的差异
化竞争力的，恰恰就是这个。

有很多人曾问过我，你身在顶级外企，又不曾有过"海龟"
的海外求学经历，现在做到这么高阶的职位，你是如何做到
的？是不是"是海龟与否"对于在外企打拼并没有那么重要？

我用自己的亲身经历告诉大家，不是这样的。如果是在改
革开放初期那会儿，你在外企工作没有海归经历也许是可以生
存的，因为那时外企在国内的"办事处"比较本土化，生意规
模也有限。并且这些分公司相对来说很独立，除了每年向总部
缴纳一定营收之外，在财政核算、人力资源、市场等方面大多
是自己安排，对人才的要求只要符合当地需要就好，因此，是
否有"海外求学背景"与"达成实际工作的需要"之间并没有

那么强的因果关系。

　　但是随着时间的推移，每个企业的海外分公司要想保持自己独立的区域用人特色和财算是没有可能了，全球一体化和人才全球化的趋势不可避免。就像《世界是平的》的作者托马斯·弗里德曼写的那样："因为技术，印度的班加罗尔成了波士顿的郊区。"可能你供职公司的财务中心在马来西亚，采购中心在深圳，人力资源中心在纽约……在这样一种企业环境和新格局下，纯本土化的求学经历和视野思维就不够了。你很可能身处中国的分公司，但是同事遍及全球各地，你每天打交道的人，无论是在电话上、网络上、会议室里，还是在你的格子间邻座，都可能是个拥有其他肤色和母语的同事。

　　所以如果在一个世界500强企业里工作，要想取得持续性的成功，就一定要有国际竞争力和国际视野。如果有海外学习的经历，绝对是一个加分。当然具体也得看这个海外求学或者工作经历到底是在主流环境还是非主流环境里进行的，如果是前者，这种经历在回国后会对你展开工作大有裨益，即所谓的"全球视野，中国功夫"，这是非常重要的差异性竞争力。

　　所以我坚持让我的孩子去国外念本科和MBA。一开始他不明白，问我，"妈妈我为什么要考那么高水平的学校，为什么一定要念MBA，你不是也没有念过吗，一个文学硕士，不也在外企做得那么好？"我就跟他讲："你真是问了一个特别好的问题，这恰恰是我心头的一个痛，我没能去补上这一课。但是儿子，正因为如此，你也应该小小地惊叹，妈妈怎么走过来的？她没有这样的背景，为什么还可以在竞争中取胜呢？要知道企业在绝大多数情况下，都是人才要拿起来就能用才会引进，它即便有耐心，所面临的竞争环境也不允许企业站在原地等着自己内部青涩的人才从头养成。它必须不断向前迈进，在这个过程中，如果你赶不上趟，企业不会等你。"

我比较幸运的是，我是在跨国企业在华发展还不太成熟的时期进入这个圈子的，赶上了两种不同的外企生存模式，亲身经历着这个圈子从无序到有秩，从拥有本土竞争力到全球竞争力的过程，我们彼此都在不断成长和变化。抛开这个前提，如果我想以当时的学历进入现在工作的企业一定是不够的，更别说坐到高层位置。

但当你已经身处这个圈子，企业在挑选有潜质的人才或未来的领导人时，它反而不太会计较你究竟有没有念过商学院这件事——有当然更好，就像我之前总感觉不念个MBA就好像缺了一课，所以跟公司提申请，要求送我去上学，结果公司不同意，说你不是每天都在公司的实战中念着MBA吗，哪里还需要再念?! 因为到了一定程度，已经没人要看你有没有这些指标了，你有十几二十年的外企从业履历和业绩可以说明一切，不需要用那个来证明你行。但是，当你没有这些过往，而又要在今天的企业环境中赢得信任，给你一个机会作为开始来证明给世界看"你行"的时候，出国念一个好学校的MBA就是一个快速通关的方式。

可进去之后呢，当你以学历作为敲门砖进入外企后，在时间和实践的流变中，那个永久不变且弥足珍贵的核心竞争力是什么？说到底，学会"因时而变，因需成长"这件事，无论在什么时候，什么环境都永远入时。在进入企业后，决定你的差异化竞争力的，恰恰就是这个。这也是为什么我认为自己"身在外企，不曾海归"的这段成长经历在今天看来仍然非常宝贵，值得与大家分享的原因和价值所在。

如果要让我给年轻的MBA上两堂关于"如何在外企成长得更好"的课，我想，我会给他们讲两个我自己刚进入外企时的故事，第一个故事的名字叫"在游泳中学会游泳"；第二个故事的名字叫"抓着自己的头发往上提"。

外企第一课：在游泳中学会游泳

挑战现状的过程是不愉快的，但却有益长远，
这是我学到的很重要的东西。

　　我进的第一家外企是一家法国人开的公关公司，进去后
才知道，这家企业在当时算是进入国内最早的外资公关公司之
一，服务的客户都是各行各业里做得最好的企业。

　　我现在还记得一进公司就发觉里面的香味很特别，就跟现
在进到一些高级酒店的感觉很像。那是在 1993 年，外企已经
比 80 年代初的时候要吃香了，所以进去后发现公司里很多人
都是名校的本科或者专科毕业生，有几个甚至有海外留学以及
工作的背景。男的一个个高高瘦瘦，穿着考究，眼睛里有一丝
很明显的优越感；女的穿着正式妥帖，典型女白领装扮：得体
的套装，很高的高跟鞋，极有气质。

　　我那时刚从军队学校转业出来，穿衣服还很"土"，不会
化妆，戴一副眼镜，看上去特别稚嫩。所以尽管在这家公司

工作的人里我学历最高，但是一下子进到那样的环境里工作，还是很受冲击的。一个刚从军校严谨的学术氛围走出来的小老师——要知道老师的世界是很清淡低调的，再加上我的父辈也是老师，所以从小接触的世界跟眼下看到的特别不一样。走进这里突然哗的一下，感受到一种全然新鲜的张扬，而且是一种有素质有味道的张扬：知识、美、底蕴、鲜活的外语环境，国际化的客户……所有这一切齐齐扑面而来时，真让人有点应接不暇。

开始工作后经历了很多事情，新鲜劲儿过去后，发现这里跟我原来的工作氛围特别不一样，比如老板的管理风格、企业文化等等，我甚至还跟老板吵过架，所以在这家公司我其实并没有待很久，但客观说，它的确是我在公关领域的启蒙老师。

那时我的职位是 AE（Account Executive），即业务助理，被分配到的组有诺基亚、劳斯莱斯、轩尼诗等几个客户。工作了一段时间，我的 Team Leader（团队领导）跟我说，有个客户要求我们过去一趟开个会。他说，"你也在这里工作快两个星期了，我带你一起去见一下这个客户。"于是我很高兴地跟着去了，前后也就不到一个小时，我就坐在那儿记记笔记，也没说话，就回来了。

刚回来就听到老板在他办公室里操着一口巴黎口音的英语大声发脾气。虽说工作没多久，但早已发现老板非常情绪化，经常间歇性发作，有时甚至会拿一个软软的东西砸到某个人身上。我和组长走进去时，他正在骂我们的客户总监，即我的组长的 Leader。

老板看到我们回来，立刻把组长也叫了进去，那是一间透明的大办公室，看得清楚，却听不真切，所以也并不很清楚他在咆哮什么。大概过了半个小时，只见我的组长灰头土脸地出来了，跟我说："你知道他今天为什么发火吗？就因为我带你去见了客户，破了他的规矩。"我说这是什么规矩，为什么我就不能见客户？他说，"像你这样层级的人是没有资格见客户的，一旦在客户面前说了不体面的话，或者不该说的话，都是在毁坏他的公司形象，是在告诉客户这家公关公司没有能力操作大品牌，这里面危险系数太大。"

这一听给我气坏了，第一，他给我的感觉是极不信任中国人；第二，他极不信任自己设的这些岗位，业务助理是具体做执行的人，不能倾听客户的声音，就很难感同身受客户的真正需求到底是什么；第三，他极其轻视我，对我完全没有任何的职业尊重，这让我心理上很难接受。

总归他咆哮半天，就是觉得应该炒掉我的组长，因为组长打破了他定的规矩，犯了很愚蠢的错误——可是话说回来，他的规矩也很模糊，坐在我旁边的一个女孩，服务于另一个组，也是个业务助理，她就见过客户，只因为老板觉得他考察过了，她可以去见客户了。而我，他觉得他还没有考察过是否有这个能力。

我记得当时我身边的人都只是闷闷地继续手头的工作，听着他房间里隐隐约约传出来的咆哮声，大概他们在那个环境里待久了，知道水有多深，老板握有生杀大权，这又是家当时还算凤毛麟角的外企公关公司，所以都很能"忍辱负重"。而我呢，刚从学校那种单纯的环境走出来，傻傻的什么也不知道，什么也不怕，心里想这不也就是一个法国个体户开的公司吗？结果，我做了一件让所有人都大跌眼镜的事：蹭蹭蹭走到他办公室门口抬手敲门，他当时还在对里面的总监训话，所以以一种特别不耐烦而且不客气的口吻说："What?!"

我说："我想知道你们是在为我吵架吗？"他说："对啊，我们是在为你吵架。"我说为什么，我做错什么事情了吗？他说："不是你做错什么事，是你的上司做错了事。"我说是什么事？他说："就因为他带你去见了客户。"我接着问，那为什么这就有错呢？他说了一句："因为我不认为你已经熟悉我公司的业务，或者你熟悉这个客户，到了可以去见客户的程度。"我又接着问他："那照你这么说，我应该到什么程度你认为成熟到可以去见客户？那个谁谁大概是一个月，请问你觉得我应该要多久才可以去，你可以给我个时间表吗？"

他听到我这句话后，眼睛睁得老大，表情特别惊讶。后来才知道，他在这个公司那么久，没人敢挑战他。他在那里语塞了一会儿，然后说了一句："你为什么要杵在这里不回去工作！"我说，因为我需要听到你说一个属于我的时间期限。他也挺狠的，冷冷抛出一句："直到我认为你已经准备好了的时候。"

那次交锋以后，我基本成了一个他眼里的"刺儿头"，一下子"失宠了"。之前每天他基本都会过来跟我打招呼，问问工作怎么样，那次交锋以后，我就再也没有这些待遇了。甚至可以感觉到，他很不喜欢我，想把我往外撵。只是紧接着又发生了一件事，有个客户要我们帮他做一个新闻简报，基本上这种东西应该直接在电脑上排版就可以了，或者有专门的美编来做设计，但是这当中没有一个人告诉我这个流程。所以接到客户的需求后，我整整一个周末都耗在公司，自己拿了一张A3纸在上面做设计，这里贴个花边儿，那里用铅笔画个小东西，就这样磨出来一个小样。到了周一，我交给了组长。组长很惊讶，你干吗自己做这个，你只需要接受客户的简要介绍，然后交给做彩样的人就好。我说我也不知道具体流程应该怎么样，没人跟我说，我就以为该我做，就摸索着做了一个出来。

有意思的是，当老板看到这个我做的小样的一瞬间，脸色一下子柔和许多，他说你做得很好啊，以前学过设计？我说没有，只是跟客户聊过之后，凭着感觉理解客户的需求，然后就做了这个。这件事之后，他对我的态度又有所改观，觉得我始终还是一个做事的人，职业精神足够。

这是我进入外企的第一堂课。这堂课因为我没有海外求学和工作的经历，所以我只能靠老本行——语言来给自己争取立锥之地，同时拼命吸收拼命学，在游泳中学会游泳。这当中企业环境的影响和冲突，在别人看来可能没什么，但对我来说，是一种地震式的教育。而且也不会电脑，也没有人教你，就自己偷偷学。然后，就算你学历再高，会两门外语又如何，在这里没有业绩你就什么都不是，你是nobody（无名小卒）；而且同事们之间的竞争都写在脸上，互相防备，因为公司小，大家都在求生存，都需要业绩；加之完全没有企业文化可言，老板不高兴就臭骂一顿，大家不敢还嘴，但是私底下对他也没有丝毫的尊重，我觉得那段时间，我的自尊心被打压到了一个极低的程度。

不过也正是因为在这样的环境里，我"心理成长"的速度惊人，很快就发现自己：第一，我也是能在外企混的，我还能做下去；第二，我也是能忍辱负重的，原来属于知识分子的那种清高在这个环境里被消磨殆尽，脆弱的心被磨砺出了老茧；第三，发现自己也可以白手起家，在一个你什么都不是的环境里也可以慢慢闯出一片自己的小天地，一想到这个我反倒来劲了。因为曾经有那么一段时间，我甚至已经萌生退意，觉得这是什么破公司，我回去教我的书去算了，什么乱七八糟的，除了能够把英语用上，人与人之间根本毫无尊重，同仁竞争倾轧，老板自以为是……

尽管抱怨良多，但公司实际上潜移默化地教会了我很多。比方说到底什么是客户服务，比方说怎么写新闻稿，媒体关系要怎么做等等这些基本功。当时北京的媒体和广州的媒体就不一样，广州因为靠近香港，更加商业化和物质化，所以新闻点直接就是卖点或者价钱也没关系，你要卖什么，我帮你写出来就好了，但是北京的媒体就要故事要历史，要婉转要深刻要概念，于是与两地媒体相处和沟通的方式就很不一样；然后，筹办活动也是当时学到的，我们那时也办过级别高到要做政府邀请、明星邀请、客户邀请的活动，其实这么十几年走下来，这些基本的内容没有变，仍然还在用类似的推广方式。

客观讲，这家公司教会我在这个行业，或者工作内容近似的企业里面，要怎么生存。事实上到后来，从某种意义上我非常感谢那时的竞争环境，感受到来自企业内部同事之间的竞争和生存压力是一件好事，这其实是一种职场上的正常压力，它激发了人内心不断拼搏向上的正能量。

同时我也很感谢我那时的老板，他激发出我身上特别宝贵的一个特质：你永远可以去挑战现状，虽然暂时看代价很大，但从长远看一定值得。事实上，我那次"菜鸟犯上记"对老板还是有影响的，虽然他不愿承认，但实际上他后来对新人的考核变得灵动许多，并且把"新人可以去见客户"的考核时间缩短了，他没有再去强硬地限制后面的人。

所以，尽管这种挑战现状的过程是不愉快的，但是只要你有理由，对方就算再铁腕也一定会多少听进去一点，并且有益长远，这是我学到的很重要的东西。他每天那种"打骂教育"，在骂声中让我慢慢摸索着认识到，"在一个完全不规范的市场怎么去规范的服务一些刚刚进入中国的外资企业"，这些都是他对我最好的训练。

外企第二课：抓着自己的头发往上提

我可能真的是选择了最好的时候进入了外企，进入了公关这行当，那时候还是盘古开天地的混沌状态，只要你不掉队，就意味着拥有一切可能——但其实现在又何尝不是呢？

　　"摸爬滚打，照猫画虎"真的是对我第一段外企工作生涯最好的描述，只有天知道我是怎么熬过了那个恶补基本功的阶段，关键是我还挺较真儿，一直咬牙顶着往前走。所以不到一年时间，不能说完全掌握，但也懵懵懂懂把这个行业的底摸了个差不离。之后，简直是天赐良机，正当我在纠结要不要从法国人开的这家公关公司辞职时，另一个工作机会飘然而至。

　　有一天，我跟一个同事在洗手间碰到，闲聊间，她说有个猎头在找她，说摩托罗拉的运营总监要找一个运营部门的秘书，她问我她到底要不要去，我说去啊，挺好的，薪水肯定比这儿高。她说那倒是，给 1 600 元呢，我说那真的挺合适的。结果她后来到底也没去，可能觉得毕竟是个行政人员的职位，跟她预想的职业生涯不太一样吧。反倒她是来问我, 要不要去试试看, 觉得我语言比她好, 而且也正好有换工作的打算。我一想也对, 当时也没觉得做秘书有什么不可以的, 就说行啊, 你把电话给我, 我去试试。

所以, 阴差阳错, 猎头原本是找她, 她不去, 于是我主动找了人家。那时一切还没现在这么正规, 所以我就一通电话打到了摩托罗拉。对方也没见过我, 只是这么一聊觉得似乎还有的聊, 就给我安排了面试。面试的结果, 是他觉得我很好, 但是不适合这个岗位。他说, "Gill, 你不是我这个岗位要找的人, 我这儿就找一个行政秘书, 我把你介绍给我们的中国首席代表吧, 我知道他在找一个负责全公司公共关系的人, 我觉得你适合。"他无可取代地成为我生命中很重要的贵人之一, 因为他的引荐, 我见到了他们的中国首代, 姓薛, 一个新加坡人, 他就直接给我做了面试。说是面试, 其实就是侃大山, 恨不得说了两个小时的毛泽东和巴金, 他特别喜欢这两个人。

只是, 说了那么久, 唯独不聊工作, 这工作是干什么的, 需要我做什么, 我的能力是否契合, 统统都不说。聊完之后跟我说, "过几天我会给你电话, 我们接着聊《家》、《春》、《秋》", 给我急的。过了一个星期, 我给他打了一个电话, 他说: "周小姐, 我现在很忙, 在新加坡出差, 你再等一个星期好不好, 应该是很有希望的。"又等了一个星期, 他给我打了电话: "你来上班吧。"

于是, 1993 年 12 月 16 日, 我正式进入摩托罗拉。进去第一天, 我连办公桌都没有, 老薛在他办公室给我支了个小圆桌, 说你先暂时坐在这里吧。然后那天晚些时候, 我们在长安街国际饭店有一个团拜会, 因为快新年了, 老薛要代表公司去讲话, 他跟我说: "你跟我一起去, 给我现场做个翻译。"

我那时穿一件粗线棒针毛衣, 现在想来很土 (不过也不一定, 2011 年爱马仕就流行这种妈妈爱心款的毛衣), 就跟着去了国际饭店。当时觉得, 今天上班好戏剧性，怎么一会儿还是小圆桌，一会儿就是国际饭店了，还给中国首代做翻译……而且那天特别神，最后所有聚餐的人都有个抽奖环节，每个人都把票扔在一个桶里头，他们也给了我一张。结果，我那天居然抽到一个头等奖，一辆进口的山地车——就在这一天，我进了全球最好的500强企业之一，仍然做的是我此前"在公关中学会的公关"这一行，没有变成行政助理，并且我居然还抽到了一辆特别漂亮的山地车，这种感觉真的很好。后来山地车我不知道怎么骑回家，还一边心疼着一边花了10块钱打了个面的运回家。回到家，我就跟老公说："我今天真是过得太高兴了！这家公司很好，特别有以人为本的关怀之心，加上抽到的这个头等奖，总之，我觉得这一切都预示着我的外企生涯崭新开始了！"

现在想想，老薛真是特别有智慧，在那个时间点，在公司事业好得不知道要怎么好，简直如日中天的时候，他已经考虑到未来，考虑到企业的品牌、公共关系、企业形象建设等等这些问题；考虑到当一枝独秀的市场如果有一天变成红海的时候，企业的竞争手段可以包括哪些。

就这样，我成为了摩托罗拉公关第一人。其实一开始大家都不知道企业的公共关系具体要做什么，怎么做，公司也没有负责市场的人，所以我等于把公关和市场一块儿兼着做了。那时的公关领域不像今天这样已形成规模化和程序化，很多事情上你就是第一个吃螃蟹的人，工作的过程就是拓荒的过程。

在这种情况下，展开工作的难度的确特别大，我面对的完全是一片混乱和空白，一切的一切都要重新开始，公司连个品牌调查都没有，摩托罗拉的品牌在哪里，从哪儿开始——你总得知道现在是怎么一个情况。我就自己印小册子，自己设计问卷问题，然后到处去散发，请人家填表格，做相关调查。

真是初生牛犊不怕虎，调查一番之后，要发布调查报告，弄得还像模像样的：饼图，柱状图，描述现状，然后分析受众喜好，预测趋势，看未来该怎么走，应该做哪些事。事后大家都特惊讶，你一个人是怎么弄成的?!

夸张的是我居然敢自己挑大梁，一个人还敢把摩托罗拉全球的公关会拉到中国来开。我就要求说，你们这次到中国北京来，我给你们讲讲公司在中国消费者心目当中是一个什么样的品牌形象，请你们帮我一起出出主意，我下一步的推广和计划应该怎么做，我那时就已经有了要建立360°品牌生态环境的概念。结果特别有意思，因为我的这次发动，变成全球的公关会议会季度性地到中国来开，后来我们在广州、上海，很多地方都开过会。

其实回过头看，那次调查做得太草根了，既没有调查公司帮我，也没有团队可以做支持，就我自己单枪匹马上阵，恨不得直接跑到国贸门口去散发问卷，然后调查结果出来后又拼命联络媒体做采访，营造公众舆论……尽管这一切现在看来很稚嫩，调查的样本量、统计方式都不专业，但是宝贵的是，我还能够这么去想问题，并且尽可能实现这个想法，给自己定下一个又一个的挑战目标，这种历练真是太重要了。

总之，我在前一家公关公司学到的那点东西全用上了，然后边工作边吸收，逼着自己成长，抓着自己的头发把自己往上提，工作就变成了一个不断优化自己思维的过程——我拥有这么大的一个平台，之前那点小小的实战经验，以及积累的理论，都可以放到这个500强的大公司里来实践。这个过程里肯定有各种成功和失败，但总体上你取得的成绩和自己做事的专业性都会像滚雪球一样越滚越丰厚。

现在想想我在摩托罗拉那八年，真是眼看着事儿一点点做起来，自己的团队一点点建立起来，品牌认知度从基本没有到妇孺皆知，然后事儿也越做越专业，这个过程太妙了。只是那时我比较傻，其实应该提出来让公司送我去念MBA，公司肯定会答应，结果我也想不起来提这个要求，天天就是忙事情。

最终，摩托罗拉从一个大家都没怎么听说过的品牌变成一个大江南北家喻户晓，并且人人对这四个字都朗朗上口的品牌。不谦虚地讲，这里面的确有我呕心沥血的汗马功劳。时至今日，我每每想起，都觉得自己很对得起这家公司，同时也很对得起自己生命中这宝贵的八年光阴，我一直在成长，因时而变，不曾荒废，亦不曾守旧度日不见长进。

我可能真的是选择了在最好的时候进入了外企，进入了公关这个行当，那时候还是盘古开天地的混沌状态，只要你不掉队，就意味着拥有一切可能——但其实现在又何尝不是呢？尽管一切的一切看似有了模式和规矩，但模式和规矩的存在意义，不就是为了被不断推翻重新塑造吗？

只要你别掉队。

入职第一天

这一天是充满神奇力量的一天，你会感觉自己好似身处放大镜，甚至显微镜底下被他人审视和观察。在这一天里，你显示出来的优点和缺点是如此容易被放大和记住，甚至在未来很长一段时间都会被提及。

我们人类有一个很有趣的特点，就是容易被初次看到、听到的事物影响，然后把这个印象铭刻在脑中作为自己评价该人、事物的重要指标，它存在的持久度甚至会超越后续这个人或者事件带给你的"截然不同"的新印象，这就是心理学上的"开头效应"。

美国社会心理学家阿希（Solomon E. Asch）在 1946 年时曾以大学生为研究对象做过一个实验：他让两组大学生评定对一个人的总体印象。首先，他告诉第一组大学生，这个人的特点是"聪慧、勤奋、冲动、爱批评人、固执、妒忌"。很显然，这 6 个特征的排列顺序是从肯定到否定。然后，阿希仍然给了第二组被试大学生这 6 个特征，只是排列顺序正好相反，从否定到肯定。

研究结果发现：大学生们对被评价者所形成的印象高度受到特征呈现顺序的影响——先接受了肯定信息的第一组大学生，对被评价者的好印象远远多于先接受了否定信息的第二组。这意味着，最初印象有着高度的稳定性，后继信息不能使其发生根本性的改变。

我之所以要赘述这个心理学实验的结果，是想表明"第一印象"的重要性。人们总是以对某个人的第一印象为背景框架，去理解他们后来获得的有关此人的信息。尤其在职场上，"第一印象"的重要性更加立竿见影，而"入职第一天"是建立最初印象的关键点，所以要坦诚自然，要心明眼亮，要好好把握。

无论是刚出校门的青涩学子的入职第一天，还是已经身经百战的职场老人转换工作平台后的入职第一天，这一天对他们来说，某种程度上其实都一样新鲜，一样未知，一样充满需要逾越的挑战。我希望自己转换平台，到现在供职的这家公司后的入职第一天的故事，能给你一点这方面的领悟和参考——尽管，那时我也对这件事懵懂青稚。

我是2001年10月16日来到现在供职的这家公司的，上班第一天的记忆至今犹新。

那天其实有半天时间我是处于"四处游荡"状态，先去人力资源部填了一堆表格，然后意外发现公司的聘用合约是永久性无期限合同，而不是那种一年、三年、五年、十年的雇用合同。那一瞬间，我觉得这个公司简直太棒了——它有一种很笃定的心胸和气度，认为根本不需要来跟你规定时限：公司好你自然不想离开；同理，你有能耐自然公司也不希望你离开。这家公司坚信自己雇来的都是人才，相信每个人都能为它带来持续的增值，这是它非常大气的地方。因为后来我发现不只是我，公司给所有正式员工签的都是无限期用工合同。

记得那天人力资源部给我开通电子邮箱之后，我收到了很多欢迎的邮件。其中一封是当时的亚太区公关部老大写来的，他说："欢迎上船！我有种感觉，你会在这个公司有一个长长的、成功的未来。"结果，真的一晃眼，已经十多年过去了。

忙忙叨叨到了中午，当时的人力资源总监（HRD）是一个来自台湾的大帅哥，他跑来找我说："我们中午一起吃个午饭，"顿了顿又说，"不是我个人请你，这是公司的一个传统。"我心想OK啊，反正我也不知道去哪儿吃饭。

当时的公司是在北京三里屯附近的盈科大厦，周边不像现在这么繁华，只有一家上海菜的餐厅比较好，他说带我去那儿吃饭——现在我做Leader我就知道，不是每一个员工来都是IIR带去吃饭，应该是雇你的那个部门的经理带着去。但当时我的大老板工作地是在日本，我的老板是公司中国区的CEO，他那么忙，也不会来跟我吃饭，所以就由HRD代表他们来欢迎我上岗。

结果特别有意思，他是个很容易害羞的人，但因为工作关系，很多公司的人都认识他，于是去吃饭这一路，不断地有人跟他打招呼——可能是因为供职于男性员工占绝大比例的公司，他大抵不常和女生一起吃工作餐吧，所以从公司走到餐厅这短短几分钟里，他一直不断跟见到的熟人解释，大意就是说我是新来的，不是他的亲密朋友。到了餐厅就更厉害了，里面貌似很多公司里的人在那儿吃饭，所以穿过那些桌子时总有人跟他打招呼，然后打完招呼就把目光落在我身上，然后再看看他意味深长地笑……总之，我就看着他特别着急地跟所有人解释：她是新来的，她直接上司不在国内，所以我做代表请她吃个饭……急于解释的表情憨态可掬。

好不容易我们在角落里找到座位，一顿饭下来，他基本也没说太多，只是反复跟我强调三个信息：第一，你是我们第一次雇中国本土的人来做这个工作。我说我知道。第二，你的前任已经离开一年了，没有人跟你做交接。我说我也知道。第三，你是我们整个高层团队里仅有的两名女性领导人之一，另一位是个香港人。我说这我倒是不知道。

其实现在回头看，在入职第一天有机会跟HR吃饭是一件很好的事情，他是相对最了解这个公司的人事和组织的人，所以多问问关于公司的一些情况，问问自己应该从哪里开始工作，问问这家公司有没有什么要遵守的事情或者不成文的规定……都是一个很好的机会。

我现在还记得他伴随着当时的"三句信息"给我的三个劝诫。第一个劝诫是，"不要太冒进"。他说当你还不清楚一家公司的"底细"时不要太冒进，你还不了解周遭，不了解这家公司，这种了解凭借表面的观察是远远不够的，所以要先沉下来。如果太冒进，容易变成冒失，加之第一印象又特别重要，容易让人对你形成印象偏差。

第二个劝诫，他说你这个部门就快被人忘记了，也没有前任可交接，所以对你来说一切都是从头开始，你就把开展工作当成西部拓荒一样来做，准备到处跑马圈地吧。这些话我听完脊椎骨发凉，感觉这个部门已经趴在公司的地上了；但是从另一个角度想想又觉得很带劲，你们不是不记得了吗，那好，我就让你们重新记得这个部门，记得我。

第三个劝诫，他说在公司里，"女性在领导层要实现多元化，还有很长的路要走。"十八个高层里我是唯一一个本土成长起来的女性，所以，当你进入到一个得天独厚的环境里时，所有人都会看你，凭什么是你敲门就敲进去了，人家有多少人坐在门口，头发白了都进不去，所以我们都想看看你是以什么

◀ 和公司同事一起参加时尚派对。

BLOOM

▶ Eric, Jon, Ed 和我。

▲ 2004年Jon访华48小时，
▲ 我们请他去了长城脚下的公社。
我的团队自创造型合影。

▲ 1998年我在新疆和田摩托罗拉希望小学。

▶ 1999年我拿到摩托罗拉亚太"女性之星"大奖，CD Tan（左，亚太总裁)和 PY Lai(中国总裁）给我颁奖。

BLOOM

▶ 1995年参加世界电联大会。
中间就是薛代表（P.H. See），
我在摩托罗拉的第一任老板。

BLOOM

▲ 我和摩托罗拉的高尔文父子
在一起。

◀ 2000年带中国团队去柏林参加比赛，结果我们自创刊物《Teletalk》赢了。

▲ 1998年摩托罗拉北亚区总部成立，落户朝阳区大北窑。我和团队做成这个大活动。如今，照片上的大部分人已移民美国。

▼ 2011年去台中访问全球第十大轮胎制造商——顶新集团。

BLOOM

在日本工作的日子

我在芝加哥最好的朋友——Jim 和 Sue 一家。三代同堂，四对夫妇，其乐融融！

1995年去瑞士参加世界电信展，寄居在摩托罗拉瑞士分公司女同事（右侧）家。她待我如亲妹妹，把怀孕中的我照顾得无微不至。

BLOOM

▲

2006年底在佛罗里达，
我在美国的外派即将结束。
于是开心大笑，可以回家了！

▲ 和Jon随行访问巴西。

▼ 在巴西第一次坐城市间的直升飞机，
　感觉像在拍好莱坞警匪片。

BLOOM

▲ 10个小时的飞行，没吃没喝到了
墨西哥，洗个澡，换了衣服又去
开会了。我，Jon和墨西哥公关
总监。

BLOOM

▼ 在东京的一个小小的居酒
屋，我和蕾蕾（中右）成了
好朋友，她是一位非同寻常
的日本"家庭主妇"。

本事进来的，我们也拭目以待你能做些什么。

他没有讲官话，套话，就这样平实简单地说了最重要的东西，为此，我心里对他一直怀有一种感激。后来在公司待久了，我发现身边有很多高管都很像他——低调，务实，话不多，但句句在点上，格调高尚，颇有蓝色贵族气质。

吃完饭出来回公司的路上，他又跟很多人解释了半天我们的"关系"，终于带我回到25楼的时候，能感觉到他舒了口气，然后跟我说，我回24楼了——现在想来，好可爱好腼腆的一个人。后来去国外外派工作了几年回来，没这么害羞了，有时候来找我商量事儿，说高兴了，还会啪的拍一下我的肩膀。

他走了以后，我去找我的团队，然后才知道我来公司是没有独立办公室的，其实到现在都是这样，这家企业放眼全球都一样，所有的高管都坐在开放办公室里，再高级别的副总裁都没有自己的独立办公空间，最多有自己独立的会议室而已。这让我很惊讶，因为在之前的公司，我们的办公环境是很"奢侈"的，我自己拥有偌大的办公室，陈设是红木家具的，秘书坐在外头，当时已经习惯这种"排场"了，但这里完全不同，我刚去的那段时间，连属于我这个级别的开放空间里的座位都没有，人事部门好不容易在两个基层员工中间找了一个很挤的卡位给我。

可是坐在两个一线员工中间，每天要打电话说一些关于预算，人事，或者需要保密的战略决策时就很不方便，只能跑去会议室打电话，加之电话非常多，所以只好来来回回地穿梭在会议室和我的工位之间。后来有一天我实在受不了了，就跑去跟人事说，那间会议室不是分给我的吗，那我能不能就在里面办公。沟通的结果是，同意我在里面办公，直到找到合乎规格的工位后我再回到相应的座位去，我说行。

那时也真够大胆，我就把会议室弄成了一间我的独立办公室的样子，把以前的一些得奖照片啊什么的都摆了出来，当时我的秘书，还拿了一张纸打印上"GILL'S OFFICE"的字样贴在了会议室的门上——这么贴其实是有原因的，这家公司的管理方式既节省又高效。就是说，尽管是你的专属会议室，但你不用的时候别人是可以用的，可我这么一弄，别人就谁也不方便用了，我当时和秘书就干了这么一件"惊世骇俗"的事情。现在想想没准儿那时很多人看着都觉得可乐，觉得这人一看就不是公司的老人，做事风格太不一样了。

鉴于此，我很想对入职第一天的人说，当你刚进入一个新的工作环境，是一个新人时，你肯定特别希望尽快证明自己，但这个过程里要拿捏好一个表达自己的度，我刚进公司时就做得不够好。做过了度，会让人觉得过分张扬，而且会跟公司里的其他人格格不入；做少了又让人看不到工作能力，容易被人忽略。

这里延伸一点说，进入一家公司，尽快捋清自己的上下级关系是件很重要的事。

其实我当时并不懂这些，那时还很青涩，没想那么多，只是凭着自己的直觉做事。后来想想，如果能把这种"凭直觉"变成"有意识"，那么打开工作局面的效率会更高些。

比如我刚到岗时，我甚至不知道我的兵在哪儿，因为我的下属里有一半人的薪酬是算在另一个部门那边，于是这些人的工作你就很难考核，他可能两边都划水，或者只重视出钱部门的工作，其他一概划水。其实，这些同事没有归属感，因为给他们出钱的部门主营销售，做市场或公关的被视为"支持部门"，属于二线甚至三线。他们的职业规划和成长计划也自然不像那些销售人员一样受到高度重视。这是业务线和职能线的最大差别。你可以有很清晰的业务服务线，但同时你一定要有你归属的职能部门，它是你的"娘家"——无论刮风下雨，它是你永远的港湾，永远的家。

我暗下决心要重建我的家，一定要收复失地，半年内理清这些人的主从关系，谁出的钱不要紧，最后都是公司出的钱，但是人事考核是哪个部门考核很重要，所以我就请这些人都考虑好，游离于两个部门之间的结果，就是变成孤儿。就这样，我把所有的兵收归了编制，让他们知道了自己要守护的阵地在哪儿，谁是我们的内部客户（internal client），谁是我们的"娘家"。

整理好下级关系后，应该试着给自己的上级领导定定位：他们招聘你来的目的是什么，希望你做到哪些事情，以及，应该如何与他们相处？

我有国内和海外两条线的领导，对于国内的领导，我自己对他的判断是，他是一个典型的热爱公司文化的"蓝色贵族"，是一个非常睿智的职业经理人，喜欢那些低调务实做事的人。他招聘我来的目的是希望我能以一个专业的、带有第三方视角和经验的姿态加入到此间公司的相关领域工作中来，所以我一定要慎言、专业、低调。

对于在海外的领导，因为距离的关系，他对你所做的工作内容并不太了解，所以我把每天自己在做什么，心得是什么，我试图做出一点什么改变，比如我试图把美国和亚太的一些好的工作经验如此这般运用到我的实际工作中……这些事情向海外汇报，让远在异国的领导随时知道我的步调和思考。

"上下"关系捋顺了，该捋捋"左右"关系了，这块我认为一定要恪守HR劝诫的，"不要太冒进"的信条去沟通。我记得当时我的同事大概有十七八个人，我在第一个月里，约下每个人的时间都去谈了一次，每次大概一小时，一个月后，我记了整整 3 本 16 开大小的笔记本的内容。每一个人都跟我说，你来了太好了，太需要你这个部门的支持了……谈话的过程呢，我了解他们，他们同时也在了解我，我问什么问题他们都会因此掂出我的分量。因此，此前的准备工作一定要做足，要先阅读很多关于他们部门的资料。就这样，我展开了自己的工作。

再说回来入职那一天，因为我在此前就被告知，说好当天下午两点在会议室有个短短的全球电话会议，目的是要告诉大家我入职了，算是个小小的欢迎仪式。于是到时间我去了指定的会议室，刚一进门，第一反应是怎么回事几乎都是男的，除了我和当时 CEO 的助理外，黑压压一片全是男生。我一走进去后，每个人都用一种很新鲜又有点狐疑的目光在上上下下地打量我，这个时间绝对不少于一分钟。后来才知道，只怪公司的保密工作做得太好，之前都没有人知道我入职的事，所以可想而知我当时的感觉，在大家陌生的注视中感觉多少有点儿无所适从。

那个时候公司的领导班子年纪大都比较长，我则还算年轻，进去以后也没人跟我说话，我也不知道该跟谁说点什么，所以也就什么都没说，很职业地微笑着，随便找了个位置坐下来。坐定了才发现，这是个长条桌，我恰好坐在了最靠门的位置，心中暗忖自己应该坐对了，因为你在这里什么都不是，所以就应该坐在一个最不起眼的位置。

紧接着我发现这个会议室有两道门，其中有一道直接连通 CEO 办公室，靠近那道门的第一个位置明显被有意留了出来，按这个逻辑，旁边紧邻的位置应该坐的是领导班子里资格最老的人，然后以此类推。如果我当时不小心坐到了那边的位置，肯定就错了。没人告诉我，我刚去也不知道这些规矩，好在蒙对了，其实当时我的选择无非是想着，这个位置最靠近走廊，开完会可以溜得快……当时潜意识里是有点想溜，因为感觉这里的每个人都挺严肃的，全是深色西装，行事堪比军队作风，在开会前就都早早到了会议室，没有一个人踩点到，更没有人晚到。

老板进来了，一头银发，穿着很修身的非常考究的西装，带着一块名贵的百达翡丽表。给我的第一感觉是，哇，"教父"来了！他走进来，扫视了一下，看到我，就坐在那儿跟我点头示意了一下，然后开始宣布，今天把大家叫来开个很短的会，是为了给大家介绍一位我们这个家庭里的新成员，她是谁谁谁……为我做了个介绍。我现在还很清楚地记得最后一句话，"据说她是一个语言天才。英文、法文，很多地方的语言都会说。"

他介绍完毕，大家啪啪鼓掌，我感到了那种由衷的欣赏和欢迎的情绪，这种感觉好棒！而且因为电话会议节奏不太能同步的关系，尽管会议室现场的掌声已经停下来，可是香港、台湾，以及其他分公司因为时间差的关系，掌声还在噼里啪啦地响着，我当时一下子就觉得好喜欢这个团队。CEO很有气场，在冷峻的语言中带给你关怀；同事也很热情，我一下子心情变得超好。

接下来，轮到我说话了。我从来不打无准备之仗，所以自我介绍在前一天已经准备好了。我用英文做了个简短的介绍，大意是说，我之所以来这家公司，不是因为我认识你们当中的任何人，而是因为我读了两本书。一本是一个美国男人写的，另一本是一个中国女人写的。中国的女人是吴士宏，她写了一本《逆风飞扬》，她在书里用非常细腻的笔调讲了一个在这家公司从基层员工一路成长起来的故事，给人的感觉有血有肉，非常真实；美国的男人是《华尔街日报》记者保罗·卡罗尔，他写的《蓝色巨人》让我感受到管理企业的一股浩然之气，读完这两本书，我觉得这家公司错不了，所以，我来了。

我讲完了，感觉到这些人有一点点惊讶，后来熟了以后他们跟我讲，我说的是他们在这个世界里很少听到的自我介绍，不刻板商业，非常柔软和人性化。我们混熟后他们回忆我的第一天说有"三个惊讶"：第一个，不怯场；第二个，自我介绍的方式很独特；第三，特别年轻、特别热情，特别有活力——其实，年轻人刚入职，一定要会"听话"，比如这最后一句，其实是赞扬中带着一点点批评的，言下之意是，你充满了热情，但是你年轻不更事，也还不了解这家公司，这几种感觉交织在一起，让人喜爱你的同时又为你捏把汗。

类似的话再跟我的团队混熟以后也听他们讲过，就是我入职的第一天，他们对我的最大印象就是漂亮，但是除此之外呢，她行吗？能不能做事？每个人都有这个疑问。所以多年后我做一个电视台的节目时说到这段，特别有感慨，他们给我定的标题是"美人心计"，其实哪里有什么美人计，全是苦肉计。你在这样的企业，没有真本事，光使美人计谁听你的。而且，反而因为你长得还不错的缘故，容易让人有这方面的疑问，所以更要付出十二分的努力去证明你的确有两把刷子。相反，如果相貌平平，反而不容易有这样强的质疑。所以，能在企业里基业长青的美人跟梅花一样，都是香自苦寒来。

现在回想入职第一天的工作，其实挺疯狂的，一刻不停地工作了14个小时，大大小小的问题接踵而来。没有人因为我是第一天上班，第一次接触IT业便会跟我说：你慢慢来。就在这一天，大中华区的CFO（Chief Financial Officer）即首席财务官跟我说预算有问题，香港的总经理跟我说香港的团队要换新人，台湾的经理跟我说心情不愉快，要求换工作……我办公室的电话铃声响个不停，我感到自己即便长成哪吒那样的三头六臂也忙不过来，但我必须得处理，这就是我的工作。

试过百米冲刺吗？那意味着开始就要进入状态，然后，中途的加速和冲刺后的虚脱，还有触线时耳边排山倒海的欢呼声，令人疲惫至极却也兴奋至极。我入职的第一天，包括开始的那几个月就像是一次次的百米冲刺，但由此带来的收获也比以往几年的工作都多——这个职位在逼着你，你就应该是这家公司、这个领域、这个环节上无所不知、无所不能的那个螺丝钉，你不能说我是新来的，我不知道。

外派是一次职涯探险

外派这件事，对有些人来说，是外面的世界真精彩，是数风流人物还看今朝；而对有些人来说，则是西出阳关无故人，再说惨点儿，那就是卡夫卡的"在流放地"。但无论如何，有一点毋庸置疑，外派确实是企业发现和培养强者的捷径，也是个人想要获得快速成长的超车道，当然，它也是一次职涯探险。

　　对很多在外企工作的人来说，有件事情或早或晚，或长或短，总要经历到，那就是外派。

　　对企业来说，通常外派是检验和考察一个人工作能力最好的方式，把他"丢"到一个全然陌生的地方，虽是老东家，却是新环境。这个人需要面对的是新的同事，新的主从关系，新的业务领域，新的工作目标，新的考核标准——这其间如果硬要找点儿相同的东西，怕也只有类似"同一个世界，同一个梦想"的大同之心了。

　　在这种情况下，人就好像风筝，远远飞在云端，只有一根似有若无的线把自己跟"地气"相连，而这种"脆弱的连接"

很难让人有安全感和归属感，一切都要靠自己。

对个人来说，外派非常考验一个人的适应力、沟通力、观察力、学习力、判断力、决断力、社交力、创造力、分析力，这其中如果有任何的能力缺失——本土环境中的工作未必能发现，但外派是检视是否具备这些能力最好的探测仪，所以当企业看好某些潜力股员工，并且想给他们一个升职的空间和更大的工作平台时，外派就变成了最好的测验方式。

外派这件事，对有些人来说，是外面的世界真精彩，是数风流人物还看今朝；而对有些人来说，则是西出阳关无故人，再说惨点儿，那就是卡夫卡的"在流放地"。但无论如何，有一点毋庸置疑，外派确实是企业发现和培养强者的捷径，也是个人想要获得快速成长的超车道。当然，它也是一次职涯探险。

既然是"探险"，就需要"地图"和"指南针"来指出你应该行进的方向。记得我2006年外派美国时，正巧有一个机会可以与主管我这条工作线的全球大老板Jon有一个单独的交谈，那番交谈，我至今难以忘怀，并且受益终身。

我问他："Jon，你对我这几个月的外派工作有什么期待，我应该怎么做才能做好？"他告诉我：

第一，你会发现原来在中国能行得通的方式，在这里也许就不行，所以这是你看世界、深入这个世界最好的一个时间点。你在中国玩得转的到这里玩不转了，原因在于这里的动态环境、文化，这里的人，这些都是你需要接收和学习的部分。

第二，你会适应并最终学会如何不在自己的'舒适圈'里工作，比如我给你一个美国的团队来管理，而且这个团队工作的内容还不是你熟悉的品牌传播，而是让你扎根到一个具体的业务部门里去做管理，这就要看你的专业深度了，很多人到了那个层面就歇菜，做不了，深入不下去。而且，你此前长期在做你驾轻就熟的工作，难免有种优越感，然而到了基层生产线的部分，你就得捋起袖子干活儿，手会弄脏，你会不舒服。这些都是需要实际去经历去打拼才能变成珍贵经验的东西。

第三，你会发现你团队里的人都各具特色，纯粹是一个国际团队，里面有美国人、印度人、菲律宾人、西班牙人……林子大了什么鸟都有，而这些人都不会在一开始就服你。这跟你在中国的环境不一样，你在那里有团队、有业绩、有口碑，你能呼风唤雨，很多人甚至在没有被你真正领导之前已经被你的名声震慑住了，但在这里完全没有这回事，一切等于要重新开始。在这里没有人知道你是谁，所以你更要清楚你自己是谁，你可以做什么，你要怎么实现它。

第四，你甚至会发现你要领导的团队里很多人的年纪比你大，在公司的资历年头比你要长，且在他工作的这个领域里非常专业和资深，但是你要管理他。他可能会看不上你，觉得你不如他，也可能为了一个年终业绩的分数跟你大吵大闹，觉得你给他打分太低，这些都有可能发生，所以你要有心理准备。

听了这些掏心窝子的话，我心情真是喜忧参半，喜的是终究还是有个人在茫茫夜海上给你做了灯塔；忧的是这么多的问题，我要怎么办。于是我就傻傻地问他，我该怎么办？

他说："跟着你的心走。我觉得你是一个很有心的人，你会动脑子，你有心去学，有心去逾越障碍，有心去融入这个环境。而且你善良，有很好的心胸去包容你所经历的窘境，很多人拒绝这种包容，但你会接受，加之又有雄心壮志去做事，有这么多珍贵的特质，我相信你遇到什么问题都可以自己化解。唯一要注意的就是遇到事情要冷静分析，只需如此。而且我相信你的经验和阅历——你在中国那么快速成长的复杂市场都能Hold住，这里也不是问题，相信你的心做出的判断就好。"我后来觉得，他的这种信任，是我化解所有遇到问题的最佳良药，没有之一。没有这个信任，我也许会失去对我自己职涯探险方向的信心和判断，所以，有一个好老板，的确弥足珍贵。

在他身上我学到最重要的一点，是"如何管理比自己更棒的人"。

他跟我说，在我的职业生涯里，一定会遇到这样的时刻，下属比你年长，比你经验更多，英文比你更好，视野比你更开阔。一定会有这样的人出现，而你阴差阳错成为他们的老板。重点是，在这种时候一定不要惧怕，之所以是你成为他们的老板，就必定有你的过人之处，这个长处是他们没有的，为什么公司高层选了你而没选他们，你一定要对自己的这一点特别自信。

可能在中国的从业经历中，大家习惯带的人是经验比自己少的，比自己年轻的，中国人习惯于老板一定是各个方面都高自己一筹的，只有这样的人才能做老板（可能现在也已经不是这样了），但是在国外，管理比自己更优秀的人很正常。所以你要清楚，领导型的人才和专业人才有时会有天壤之别，要把这个当作一个平常态。

尽管这很不容易，尤其在一开始，他们会用那样的眼光看你，觉得你"凭什么"，尤其面对不同的国家和文化时，这种质疑的表现方式和手段也各不相同，这时你不要惧怕，要自信。但有一点要特别清楚，最后你一定要展现出过人之处让他们看到，所以在遇到不同的环境时你要先想清楚，你要秀的是哪一块？是你的领导能力，还是你的专业能力——当然最理想的，是你的专业能力和领导能力都被大家认可，可是很多时候，我们很少见到这样完美的人，所以你要选择你的战场，在你最自信的领域去表现。

如果你觉得你的专业能力挺好，那就去狂补专业，到最后他们说什么你都知道，而且你可以出更好的主意，并且主意高他们一筹。可是假如你在传播领域是专家，却换到别的领域做领导，比如去做销售或者营销的领导时，你便不可能有精力在短期内成为他们的专家，更甚者换到研发领域，你面对的可能是一大批诺贝尔奖获得者，而你要去当他们的老板，这种时候拼专业能力就是很愚蠢的方式。

所以，更多时候，你是要做一个决策型的领导，要会拍板，要有勇气在关键时刻做决定，而且你要说服大家。当你显出一个决策者的魄力和风范的时候，无论你底下人的专业能力比你强多少，他都会服你，因为他在这个方面永远不可能做到像你一样。

毋庸置疑，他就是我外派"探险"之路的指南针。

外派第一难：不开车

有了"指南针"后，开始探险上路了。尽管只是去四五个月，就算只是一个人，也需要很多东西，也得支个家，也需要去申请L-1的签证，去办户口、办水气、买家具……这其间对我来说，最先遇到的最大问题是我不开车。

我其实在1998年就考了驾照，可是拿本儿后开了不到两个月的车就顶了一个水果摊，被摊主讹了一万块钱，然后她还说自己受伤了，天天要我陪她去医院做检查，一来二去，给我弄怕了，就不敢开车了，一直到现在都没有再开过车。可是在中国不开车没有那么多问题，还能正常出行，在美国不行，你很难想象一个不开车的人到美国要怎么活。而且我住在市郊，去上班的地方要坐半个多小时的火车，我的工作又需要到处跑，天呐！我必须要说，所谓"外派第一难"就是"Gill不开车"！

在美国不开车能活下来的几乎都是神人，除非你住在曼哈顿，公共交通足够方便，可是我不是啊，我住在白原市（White Plains），在那儿住去哪儿都必须得开车，起先我想干脆我咬咬牙开车算了，租了一辆SUV，结果一上路，吓得要死！美国的车速都特别特别快，弄得我先生在国内也整天担心得要死，提心吊胆生怕出点什么岔子——想来他当时的心情颇有点像王朔在《致女儿书》里写的那种感觉，"每天上下高速公路，出一点事就不得了。觉得现在的太平像画在玻璃上，你们那边稍一磕绊，我这边就一地粉碎。"

总归想来想去，我除了蹭车以外，别无他法。于是我在一周以内迅速了解我周围都住了些什么人，然后开始了庞大的"贿赂行动"，把我从中国带去的大量礼物都送给了他们，又在家里做饭给他们吃，我知道这帮人特懒，都单身，也不愿意开火，所以我就周末给他们做好吃的，什么包馄饨，煲汤，弄这弄那，最后他们都不好意思了，我根本没有主动要求，但他们几乎同时跟我说要载我上班，于是这些人就变成了我从星期一到星期五的轮值司机。后来我的一个女友来纽约，我拜托她给我带了一大堆披肩和锦缎小盒子，她说你要这么多干吗？我说蹭车需要送礼！

我真心认为上帝真的很眷顾我，我觉得光靠周围的邻居送我上下班也很不方便，他们一来也有事，二来我的工作内容也让我不可能总是只需要走上下班的固定路线，这样别人接送我也的确不方便。正在我为难时，突然冒出来一个我们公司中国软件开发中心的同事，被派到美国工作两年，于是我们就在纽约碰上了。

她叫Cindy，住在另一个市，也是租了个两居室一个人过着孤苦伶仃的外派日子，后来我们碰上后一聊天，发现"生活缺陷"方面简直太互补了，她呢，根本不会做饭，但是特别好吃，优点是会开车，虽然车技比较烂，但至少可以把我运到需要去的地方；我呢，不会开车，但是很会做饭，可以给她做各种好吃的，美国的中餐馆吃不到纯正的中国味，于是一拍即合，商量了一下，我们就"同居"了。

虽说是"同居"，其实还是各自租着原先租下的房子，只是按彼此的工作行程来决定住在谁的那边，反正都是两居室，所以住起来也没有不方便。只不过大部分时候都是她要运我去各个地方，所以住到我这边来的时候比较多，于是她就干脆把被褥，枕头什么的都放在车子的后备箱里，天天跟逃难似的来回地搬。

她租了一辆破丰田，质量不太好，我就跟她说，你开我租的这辆SUV吧，特棒！结果车太大，她车技又不太好，我们那个停车的地库出入口又特别陡，每次进出都出问题，不得已只好退了那辆大车，开回了破丰田。

她就这样成了我的"司机"，一个有一千多度的高度近视，开着一辆租来的破车，天天接送我的人。我们都不认路，就用车里配的GPS指路，但那个东西的吸盘年久失"吸"，刚粘玻璃窗上没5分钟就哐当掉下来，再粘，几分钟又掉下来，给我气的，我说你能不能不搞这个破东西了，你把它搁在一个方便的地方行不行？她也不干，特"轴"，非要给它粘在那儿。于是变成我每隔三五分钟就要摁它一下，确保不掉下来，眼看着我们俩一路开车，一路忙活。

我在美国那段时间还颈椎病复发，所以她除了载我上下班之外，还得带我去各个诊所。有一次还找错了，把我跟医生的预约整个错过了，我就在车上跟她大光其火，我说你都不看一下就乱走，这都走到哪里来了，街是叫"Strawberry Street"，草莓街没有错，问题是美国草莓街多了去了，我们都走错一个市了！你还让我去敲门问路，你没听前两天广播里说有个日本人在美国敲人家的门，估计是想问路，结果被人开门就拿枪打死了吗？你还让我问！

我们就这么整天吵吵，谁都不让谁，就跟两口子过日子似的——其实她挺不容易的，本来她做的是研发，经常可以在家干活儿，不用坐班。但为了送我，每天得折腾往返好几次，加上我的会又多，上班地点又不固定，所以不止我埋怨，她也特别烦我，但是吵来吵去，倒是感情越吵越好，变成了特别好的朋友。

我成了她的厨子，每天给她做各种好吃的，除此之外还教她怎么打扮，兼职做她的私人衣着顾问——我们住处附近有一个很大的名品折扣店，她没事儿就去买衣服，美国可以买了不合适再拿去退，于是她就买一堆回来，试穿后我做评判，慢慢到后来变成只要我不说Yes，她就退货，周末有空就跑去退货。

就这样，一个厨子， 一个司机，其实背后是一个市场公关，一个大工程师的优化组合，顺利地让我度过了在美国外派的那段日子。

这次之后我得出一个结论，外派的日子，如果没有家人跟你在一起，真的要好好考虑到底要不要去，因为如果外派时间久的话，真的是一件很痛苦的事，完全没有家的感觉和温度，你会不由自主地每天都在盼望着这种日子快点结束。

外派第二难：没朋友

我从美国刚回到北京就又被公司派到了日本，我印象里是2007年12月31号从纽约飞回北京，然后2008年1月3号就要去日本。而且要在不到三个月的时间里去公司当时的亚太总部"见习"我老板的日常工作，结识所有亚太领导团队的同事，并完成与我老板的所有交接工作。因为公司要在第一个季度结束时宣布我的任命，升任负责整个亚太地区的相关业务，所以时间特别紧。

结果变成是我先生飞去美国帮我打包行李，边打包边给我打电话说："老婆，你知道我整理了多少件衣服？100件！我都快整晕过去了。"我带过去大概30来件衣服，去那边又买了很多，因为太便宜，整个一个乱买，这里面当然不止我的，也给他和儿子买了很多……总之，当我美国的行李到了中国还没来得及打开，我人已经在日本了。

在日本那段时间特别孤苦，因为时间短，也就两个月，所以公司也没给我租公寓，就租了一个离公司特别近，走路也就10分钟的酒店房间给我住下，这次倒是不担心交通了，日本的交通特别发达，根本不用担心不开车的问题。可是住酒店，也不能做饭，吃什么就成了问题——关键是和谁吃成了问题。

日本人的私人空间和圈子特别严密，约人吃饭都成了问题，加上这一两个月里有两个三连休（两天周末加一个工作日），于是我就特别孤独，孤独得简直要死掉了。我是那种不能没有朋友的人，孤独怕了就开始动脑筋，找国内的朋友介绍了在日本的朋友，带我在三连休时出去玩，带我去看富士山。

于是我在三连休时给她打了电话，电话里那个人的声音特别"愣"，一听就是北京人，声音特粗，让人感觉不太礼貌——因为日本人说话都特别客气，寒暄啊，敬语啊，说半天，她不是，上来就特别直接，"谁啊？"我说明情况后，她说："那就这样，明早六点半我在饭店门口等你，我叫蕾蕾，你看到一个戴眼镜的就是我。"说话特别快，鼻音特重。我心想，怎么这么凶啊，一边答应着撂了电话。

第二天到了约定时间我走近门口，一看一个黑不溜秋的瘦高个，极落伍的打扮，落伍得不能再落伍了，戴了一副黑框眼镜在门口站着。结果就是这个人，现在成了我特别好的朋友，她家有三姊妹，三个人都成了我的朋友。

熟悉以后你会发现这个人的内心世界是多么坦荡和丰富，她带我去富士山，去雕塑公园，去温泉，一路上景点的典故出处如数家珍，故事丰富到让我唯有惊叹的份儿。她特别不拜物，对物质完全没有感觉，就是一个思想者，再加上她的长辈也是国内广电系统的人，跟我先生同是电视圈的人，都认识，说来说去，甚至还沾亲带故，所以一下子感觉特别近。一天下来，我们已经成了几乎无话不谈的朋友。

其实从社会身份上来说，她就是一个特别普通的家庭主妇。但她在我看来是一个特别了不起的人。日本大地震发生，我就特别担心她们一家，一直揪着心，找了二十四小时都联系不到她，我联系她姐姐去找她也找不到，最后终于收到她给我发的短信，悬着的心才落下。她跟我说，地震时所有的出租车都不收车费了，免费送她们回家，她说她的女儿特别乖，地震那么厉害，家里补给不够，她去商店买米，女儿就跟她讲，"妈妈，你不要买两袋米，你就买半袋米，你把那一袋半米留给其他也需要的人"，然后央视去拍了很多地震的节目，她就免费去给他们当翻译，跟着跑到震中，跑到最苦最危险的一线去，令人动容。

其实当你在一个地方有了朋友以后，哪怕你们不能经常见面，但是心理上的慰藉会让你觉得外派的日子好过得多。消减了浮萍一片、孤零于世的感觉后，心情愉悦，才能更专注在做事情上。

外派第三难：难两全

这段外派如果从距离上来讲，其实是离我的大本营最近的一次，外派地点在上海，我的家在北京，实际上也只是"双城记"罢了，但是却是我最难熬的两年，对我来说是"最遥远的近距离"。

现在回头想，我当时其实挺傻的，实在不该这么安排。跟我有类似情况的人，99%不会像我这样做选择——比如他们也是北京上海两头跑，家在一头，工作在另一头，但大部分人的选择是家不动，根基不动，自己多跑一跑，比如周五回家，周日晚上再离开，基本都是这样。

可我当时从接到这个外派任务开始，我就没想过要用这样的方式。就一门心思想着要带着孩子和妈妈到上海去，就觉得孩子不能离开我，我要管着他，这是我天生的任务，做妈的不能不管孩子。我不能让我老公一个男人全权去弄这些，他有他的事业要顾，我身为女性和母亲，有些职责是我的天职，我就要处理好。

一开始我就是带着这种朴素的想法做了整个决定，但践行起来发现，过程真的太苦。首先给孩子转学去新学校就特别难搞，各种申请，非常折腾。孩子那个时候还小，十岁左右的年纪，一下子被我拎到上海，其实对他也是一种折磨。加之正好赶上小升初的最后一年，这么一换，特别不适应，跟上海的孩子好像一下子也融不进去，所以尽管我们住的那个国际小区里有很多来自各地的孩子，但是他却天天放了学也不到处玩就回家写作业，特别孤独。然后课业繁重，考试很多，他压力就特别大，于是学习上难免出些状况，老师就来家访。

到了上海不到三个月，孩子还没安定下来，母亲身体又出了问题，动了个大手术，后来就半瘫了，这个过程里我的心疼和辛苦，的确没法儿形容。再说我自己，刚刚接手这么大一个工作做整个亚太区的副总裁，业务线变得特别繁杂，几乎每个晚上都得挑灯夜战工作，而且需要经常出差，十七个国家往返跑。虽然我是在上海工作，但是楼里几乎都是老外，我基本等于是在一个国外环境里工作，而且虽然管理的业务多了，但是实际上能看见的"活生生"的人变少了，都散布在十七个国家里，我每天能看到的下属实际就一个人，这种感觉也让人有一些心虚，总感觉人不在周围就好像接不到地气。

我先生是我那段外派的日子里极其重要的精神依靠。他知道我很累，所以尽管他工作也非常辛苦，但基本上只要有时间，每个周末都会乘飞机，有时坐火车到上海来，来了待上大半个周末，然后周日下午返程回北京。每次他来孩子就特开心，跟过节一样，一走，就盼着他下个周末赶紧来。

两年的双城外派生活听起来不算久，但实际过起生活来，却总觉得漫长。我以亲身经历劝一句可能要面临此类情况的人，如果是长时间的"短距离"外派，千万不要把自己当"蜗牛"，以为自己到了哪里家就可以到哪里，应该尽量让家庭原本的节奏不改变，在这样的前提下，去协调自己往返于工作和家庭之间的时间。

但无论如何，外派对于一个人的视野、人际关系和工作能力的养成来说都是非常重要的一课，如果你有外派的机会，千万要好好使用它，以此为自己的职业生涯加分。

企业旅人的出国心经

多年的国外出差经历，让我堪称一个十足的企业旅人。从一个国度到另一个国度，从一个时差到另一个时差，深感这其中如果有什么是必须携带的东西的话，那就是一颗随机应变的心。

　　小时候总想着长大以后要出去看世界，去看很多很多地方，至少要去看看莎士比亚的故乡是不是像《仲夏夜之梦》里描述的那么美。

　　如今，倒是真的一一遂了愿。

　　因为工作的关系，我这一辈子，也算得上是走遍了世界。美国、葡萄牙、日本、印度、澳大利亚、法国、英国、德国、意大利、巴西、墨西哥……不敢细算，也几乎已经跑了多半个地球——如果换一种企业工种新分类方法的话，我这样的人，应该算在"企业旅人"类，因为随着工作性质的变化和需要，我基本上每个月有至少三分之一的时间是在飞机上和出差中度过的。

有那么几年，我觉得我天天就是在机场跑来跑去，永远人在旅途，拎着一个箱子，满身的孤独和疲劳感，一年飞上百个往返，有时候醒来会需要花点时间想一想自己现在究竟在哪里。直到有一天，一个人跟我说："你的箱子该换一换了，你那么时尚的一个人，箱子怎么那么土？"我才惊觉，天呐！旅行不该是这种心情，哪怕是出差旅行，也应该有一种"小时候拼命想往外看世界"的情绪才对，所以我去年一下子买了两只旅行箱，为了找那种第一次出国出差的新鲜感和状态——尽管后来也总习惯提着最土的那只旧箱子用，但是心境跟最孤独的时期那种感觉不一样了。

做个企业旅人，总难免有各种辛苦各种变数各种累，但也会有各种心得各种收获各种美。那么多年下来，我从第一次出国的小菜鸟愣头青，到现在跑遍大江南北见怪不怪，这里面很多有趣的故事构成了我最棒的一块人生拼图。

出国心经第一条：放松，不犯错不正常

出国装备秘籍："大披肩、倒时差的药、面膜、便鞋"一定要带。

我的前往地：美国-芝加哥

1994 年是我有生以来第一次迈出国门，当时工作的那家公司在美国芝加哥举办年度公关市场领域的员工盛会，我于是有了机会出国——那还是上个世纪的事儿，当时中国大部分人还没有去过美国，所以听到有这个出差的机会，当时那种兴奋难耐的劲儿到今天想起来还觉得怦然一动。

我跟当时的老板一起去，他是个新加坡人，国际旅行经验丰富，所以去之前他告诉我："第一，美国的饭很难吃，你要做好准备；第二，倒时差很累；第三，美国人讲话叽里呱啦一大堆，你会觉得插不上话很没劲。"后来证明，至少第一条和第二条都被他不幸言中了。不过当时的我哪管这些，能去就已经非常开心了。

我们那时公司太有钱，出差只要是飞行旅程超过 5 小时以上的，不管你是什么级别一律可以坐公务舱，所以我一个年纪轻轻的菜鸟小公关第一次出国就能享受公务舱这么高标准的待遇，简直太激动了。我记得我们坐的是美联航的飞机，公务舱机票价格昂贵，但是享受的绝对是帝王般的待遇，13 个小时的航程，我实在兴奋所以睡不着，就一会儿要点东西吃，一会儿要点酒喝，自娱自乐兴奋得不得了。

我记得飞机快降落的时候，从舷窗里望出去，地面上全是一个一个蓝色的小方块，我就问老板那都是什么东西，怎么那么多小蓝块？"傻丫头，游泳池。"我说哦，每个家庭都有游泳池？"当然了，这是美国。"现在听起来很"土鳖"，但我当时的感受就是，哇！游泳池，好漂亮；哇！网球场，好漂亮；哇！柏油路，好漂亮。芝加哥当时给我的印象是两个颜色，一个蓝色，一个黑色，黑色的是地面，都用柏油铺过，看上去就是一副"富得流油"的样子。

当时芝加哥给我留下了两个印象：一个是空气，芝加哥是大湖区，所以空气里有一种新鲜的腥味，咸咸的，非常自然。还有一个是天空，天空那种干净的蓝色就跟明信片里拍出来的似的，天空下面是一栋连一栋的别墅，门口停着小汽车——当时的中国还不像今天这么繁盛，所以和美国差别还是挺大的。

我们住在威斯汀酒店，整个高档到傻眼。一下子让我觉着自己工作的这家公司实力和地位真是了不得。事实上也是如此，当时它的事业如日中天，绝对是移动通信领域全球的老大。开会的内容也让我很受刺激，那么多智慧的有识之士上去讲各个国家做事的经验和心得，完全让人耳目一新，我都觉得自己怎么断档了，在国内吭哧吭哧努力半天，实际上没有人家的方法精妙，那时也没有电子邮件，全球性的交流和沟通特别难，所以这种集体会议特别及时，至少让我觉得自己真的是在一个外企工作。

整个大会的亚洲面孔加起来超不过五张，华人更是极少数，在那个环境中，你就会觉得至少在那个时候，这个行业、这家公司还是个白人主导的企业，这种感受也挺深的。不过倒是能感受到大家对中国的重视，每个人见到我都在问中国的情况。我那时特别不知道天高地厚，在那种全球的高层会议上也特别敢说，就说中国现在是什么情况，未来可能是什么情况，企业公关市场这块应该怎么做……现在想想胆子真挺大的，都不知道这里面谁是什么角色和立场，公司政治到底如何，就敢猛说一气，不过倒也冷不丁，给大家都留下了点印象——无论什么印象，就觉得中国来的这个女孩子好像还挺不一样的，以前没有过。

"悲惨"的情况发生了，我那胖老板的"预言"一一应验：第一个大问题是时差，那叫一个难受，当时也不知道有倒时差的药这一说，所以前两三天就跟只瘟猫似的，白天开会根本不知道台上在说什么，只觉得果然美国人好唠叨，怎么还不结束，我好想睡觉……整个一个懵懵然，半睡半醒的状态。到了晚上，酒店那么豪华，房间那么舒适那么大，却又根本睡不着，完全不知道自己该干吗，实在太痛苦了。到了第四天，缓过劲儿来了，眼睛特别亮，也开始提一些问题发表一些看法了，可是刚进入状态，已经该返航了……

第二个感受，饭真的太难吃了。我那时完全不能适应洋餐，简直是深恶痛绝，闻到味道就已经想反胃了——也是事后才知道，我给开会的人留下的诸多印象中，其中有一个不好的印象跟吃有关，觉得我很不国际化，特别老土。为什么这么说，我们在威斯汀有一个大型午宴，有三道菜，第一道是头牌开胃菜，第二道是主食烤牛排，第三道是水果或者饭后甜点，来开会的300多个人全部都遵从这个菜单，唯独我例外。

我干了一件挺傻的事，把服务员叫过来问他说，我能不能不吃牛排，我想吃鱼。人家特正规的五星级酒店，因为我这个要求，就看着好几个服务员一直跑来跑去，忙着给中国来的Ms.周换菜——而这个时候台上还有人在演讲，300多号人就看着服务员进进出出为我那个菜忙叨。最后人家把鱼柳放到我面前，放眼望去，别人面前都是红红的一片，就我那儿一块白，特别明显，而我其实就吃了一小口。

当我后来有机会在美国工作一段时间时，才知道当时有人在背后是怎么议论我的，说我特别不适应国外环境，就只能吃中国菜，大型宴会她都会撤换主菜，直到那时才知道别人是怎么损我的。但是说实话，损得对，一个国际化的职业经理人，就应该变得适应力无敌，甚至连饮食、睡眠这种与生俱来的习惯都要因需而变。

后来，过了几年我带团队去德国参加比赛，去了波恩和汉堡，最后一场在柏林，整个出差持续好些天。当时与我一起出行的几个女孩儿也是第一次参加大型国际会议，也是完全不能适应当地饮食，德国的香肠什么的，完全不能吃，天天泡方便面、吃榨菜。我呢，也算是"经历过沙场"的老兵了，特别游刃有余，吃什么都行，吃得还挺香，睡得也不错。她们就特别羡慕，说你怎么能吃能睡，什么都那么适应？而且你连衣服都带得那么合适？知道带点商务晚宴的晚装，还有丝巾，你怎么就能什么都想到，而我们还要到处去借？

我心想，吃喝方面那是因为我也经历过"万红丛中一点白"，穿着方面也同样。第一次出国，我恨不得把能带的都带过去了，一个巨大无比的箱子——那时从衣服搭配上就不太懂，其实应该带些非常经典的款式，可以交叉着穿的那种。我知道美国很讲究每天都要换衣服，所以特别老实，恨不得一天换一套，第二天又是全然不同的一套，鞋子带了四双，而且到美国后还又买了一些。但是最最重要的东西反而没带：比如大披肩，因为美国人很喜欢凉，空调开得特别狠，我没有披肩，天天冻得要死；比如倒时差的药，主要那时也不知道有这种东西；比如面膜，时差一乱皮肤特别需要护理；比如舒适的鞋，我全带的是开会用的高跟鞋，根本没想平时有时间可以出去逛街走路的问题。

我带了一堆重复的东西，甚至还带了方便面和榨菜，然而最重要的反而忽略掉了。实际上，这都是非常不国际化的一种表现，我后来就告诫自己，生活习惯方面的强大适应力，是实现成为国际化经理人的必经之路，"饮食的适应，气候的适应，时差的适应，文化的适应"是第一步，这一关必须要过。

实际上，我当时还有一个表现也很不成熟，就是不要因为这是你第一次到某个国家，就失去平常心，变得"用力过猛"，什么都想买——到了大会的最后一两天时，我有机会去芝加哥广场买东西，心想这是第一次来美国，所以一定要买点什么回去。当时也根本不知道类似Outlet（直销店）那样的地方，就直接到Shopping Mall（购物中心）里去买，而且去的还是芝加哥广场密歇根大街上最贵的一家商场。

当时，我们公司的一个华人陪我去，看中了一件大衣，458美元，加上税大概500多美元，是那种现在肯定没人穿了的羊绒加羊毛再加澳毛的材质，纯黑的大衣，特别特别大，像个大袍子一样又厚又重，然而我又长得那么瘦弱，缩在那个大衣里根本连人都看不到。这种衣服在芝加哥特别有用，因为它是一座风城，冬天特别冷，可是拿回北京一点儿不实用，基本用不上，但是我当时执意要买，就觉得这是我第一次去美国，我一定要买点什么。那么大一件，后来怎么挤在那个破箱子里拿回来的我都不知道。

我当时根本不懂时尚，就是觉得要买，也要像欧美人那样打扮。但是人家骨架在那里，那种大衣穿上以后带个帽子，韵味十足，非常漂亮，但是对我这种小骨架的人来说是不适用的，所以实际上买回来后就觉得不适合自己，也没怎么穿。回国后我真是对此事深刻反思，后来再出国就好多了，没犯过这类错。

从芝加哥回国那天，先生去机场接我还捧了束鲜花，说我们家有人去了美国回来要表示一下。这是我第一次出国，尽管表现欠妥，但却是我自觉非常有趣的一次旅行，它让我看到，不管是哪国人，都需要"人性化"和"尊重"，都需要心与心的交流，以前偶尔发传真时见到上面有某一个名字，因为这次出差见到了面，名字变成了活生生的有血有肉的人，还成了多年的好朋友，这种感觉很奇妙。

而且这次出行让我确信一点，中国是未来的日程表，是企业发展的未来，所以来自中国的人都有其不能忽略的价值。但同时我也深深感到，从工作内容来看，中国与外国有着很大的差距，这里头有太多资深的非常有经验的人给予了我很多启发和思考——之前我可能是一个很好的践行者，但是在思考和战略方面，其实是非常粗糙的，我因此学会了如何有效地反思。

这次出差之后，我养成了一个已经坚持了快20年的职业习惯，就是一遇到出差参会，我会把那次会议的日程表带回来，带回来以后先忙手头事，隔个一两天会再把那薄薄几张议程表拿出来仔仔细细看一遍，我可能会看上两三个小时，边看边想他们为什么会设计这个议题，这个议题当时都谈了些什么，我要怎样把这个信息传达给我的团队。然后，这个会议中有哪些信息是被我漏掉的，有什么议题是我可以参考的，有什么议题其实重新设计效果会更好——到后来，我会自己做点儿"小手脚"，比如我如果觉得一个议题在当时听的时候就是失败的议题，我就会在旁边打个"×"，如果是成功的，我就打个"☆"，但不见得说我回到国内这个打×的就不存在了，我会想如果是自己要怎么做，这么一延伸思考，也许打×的就变成了我办会议时打☆的一个机会。

这种翻盘过程不经意间成了我多年的习惯。假如把会议比喻成一条鱼，那么去参会的过程其实就是吃鱼肉的过程，而议程表就是鱼骨，有了骨架，就等于有了标本，可以供你想象复原。比如我去参加公司的百年论坛回国，那么棒的思想饕餮盛会，我什么都没带，只把那三天的议程带回来。

只要是值得讲的会议，我在回国后会把会议精华用议程表的方式先自我提炼一遍，然后跟我的团队做一个两三个小时的沟通传达，而且我在讲述的时候，会有意把议题推向一个让大家激烈讨论的氛围中去，多开这种会，对人的积累和提高会很快。

出国心经第二条：把变化当作计划的一部分。

出国装备秘籍：生活必需品，比如化妆品一定要准备两套，便携装就放在随身小包里，不然当你发现行李不见时，会觉得魂儿也跟着丢了。

我的前往地：葡萄牙-里斯本

1996年，当时我供职的公司在葡萄牙的里斯本郊外的一个高尔夫别墅区举办年会，于是我又有了出国机会。这次还是跟我的老板一起出行，因为常年工作已经非常熟稔，我亲切地称呼他为"薛胖胖"，因为他特别讲究吃，特别特别好吃，所以原本我们从北京飞往里斯本的正常路径应该是先从中国飞到法国，然后转机飞往伦敦，然后再转机飞往里斯本就可以了，十一二个小时就能到达目的地，时间最快，路径最短。

但是，因为薛胖胖同学觉得那条航线的饭难吃，所以他提议说先飞到泰国曼谷——"因为泰国航空公务舱的饭超好吃，像中国饭"，然后再从曼谷转机到西班牙的马德里，再飞里斯本，到了里斯本有车接我们去远郊的别墅区开会。这种飞法非常复杂，所以我老公还挺担心，他问是老板跟你一起飞吗？我说是啊，我们一起买的票，错不了，别担心。

结果……我们刚飞到曼谷，这家伙就背叛我了。他接了一个电话后说他突然有急事需要返回北京，去不了里斯本了，他说："上次去芝加哥，我一句话都没捞着说，这次又是类似的会，而且我英文又没那么好，去了估计也是白去，不然你自己去算了。"Oh my God！（天哪！）我除了能说Oh my God还能说什么？于是，从同行变成了单飞，我除了顺着老薛选的这条航线飞下去之外，没有别的办法。

于是我拎着行李在曼谷住了一晚上，第二天从曼谷飞西班牙的马德里，打算从那里再转飞里斯本。结果我飞到马德里之后，赶得特别不巧，正好是欧洲申根协议刚刚要生效的那一天——按说生效不是很好吗，在这几个国家行走我就不用多次签证了，可是不知道什么原因，我海关没过去，好像时间上正好处在协议生效前，早了一段时间。所以海关不让过境，我就没办法从马德里飞里斯本，结果变成我如果要到达目的地，必须先飞伦敦。因为如果要从马德里飞里斯本，我必须过了签证，入境以后才能飞，但是飞伦敦的话我就可以不出机场，还算是国际飞行段就不用签证，就能从希思罗机场搭乘航班到达目的地。

第一次独自出国旅行就碰到这么多问题，简直都快要哭了，再加之西班牙人的英语又不好，说得我很蒙，甚至到了最后，我连行李都不知道去哪里了——航班来回换，不知道已经落在了哪一段。等飞到伦敦时，我已经快二十个小时没睡觉了，几乎累瘫。到了希思罗，说最近一班飞往里斯本的飞机在八个小时后，我只能在机场干等。

当时的公务舱至少照顾还算得当，乘务员在英国航空的办公室里给我找了一张沙发，让我在那儿等。我当时的感觉就像一个流浪儿，行李也丢了，就随身提着的那个小包还在，窝在一个不大的沙发上，等着一个漫长的飞行允准，心情别提有多沮丧。终于有人来拍拍我，跟我说你可以飞了——从北京到曼谷，从曼谷到马德里，从马德里到伦敦，从伦敦到里斯本，当我历经三四天，光飞行时间就长达几十个小时的折磨后，终于光着脚站在了里斯本机场的土地上，那时是当地半夜两点。

我的脚完全肿得不成样子了，鞋子根本穿不进去，人也已经游走在崩溃的边缘，下飞机的时候干脆连鞋子都扔了，就那么只穿着一双袜子就走了出来。等到那个离开北京前定下的车在路上蜿蜒曲折地走了两个多小时，终于到达公司年会所在地的时候，我已经累得像一个胎体上有了"开片"般裂痕的瓷盘。

那时我们年会已经开了整整一天了。于是，当我在第二天睡了一上午后，下午踏进会议中心的那一刻，全体起立给我鼓掌。说这个人居然活着过来了，以为都不知道丢在哪里了。每一个人都问我，为什么你第一站要飞泰国，我当时也特实诚，就原原本本地说了原因，然后人家又问，那你的老板人在哪儿？我说，飞到泰国以后他又回了北京——我觉得所有人都认为我在编故事，所有人都认为我在胡说八道，因为听起来实在太不可思议了。

　　后来我跟老板说，"薛胖胖，你这回真弄大发了，让我成了真正的国际飞人了你，公司得为此出多少钱啊！"不过话说回来，老板那次没去成真挺亏的，后来的日子简直太舒服了。葡萄牙纬度特别高，所以每天我们早晨八点钟开会的时候，就相当于北京秋冬时节的凌晨五点，天还擦黑。我们都上午开会，开完会天也才大亮，下午有的人打高尔夫，有的人自由活动，我就拽着同事去逛西班牙古堡，简直美极了。我们在拜占庭式的一家餐厅用晚餐，那是一个悬崖上的古堡，能俯瞰整个地中海，特别美，再加上葡萄牙的海鲜饭特别好吃，我边吃边想，薛胖胖要知道有这等待遇，能把肠子悔青了！

　　那段经历跟此前的飞行囧途相比真算得上是否极泰来，只是这样的好日子，在我后来越来越频繁的出差旅行中，就再也没有享受到过。

　　出国心经第三条：拥抱落差，享受虚惊。

　　出国装备秘籍：在印度，夜里切莫独自出行，哪怕是酒店定好的送机车子，也最好有人同行。

　　我的前往地：印度－班加罗尔。

　　我在现在供职的这家公司做亚太区副总裁的工作时，需要管理17个国家的相关业务，其中印度是特别重要的一个国家和市场，所以必须常常造访。只是第一次去的经历，现在想起来，还觉得心有余悸。其实在去印度之前，我认为自己已经做足了功课，在印度旅行的那些毛骨悚然的故事也多少听说了一些，所以对安全问题很关注。当时我的直线下属中负责印度、南亚、东南亚的主管是一个男生，他工作地点在新加坡，知道我将开始印度之行，觉得我一个人去不安全，特意陪我一起去。正好我在新加坡有会，于是先去了新加坡，开了一天的会后，第二天我们一起上了飞往班加罗尔的航班。然而很不靠谱的是，一到机场就被通知班加罗尔的航班延迟两个小时起飞，其实跟新航这边没什么关系，说是印度方面的问题。

好不容易上了飞机，发生一件事特别有意思，因为我们公司的制度是凡飞行五个小时以上的旅程，员工才可以坐公务舱，不同国家区域的分公司在这个时间上可以微调。此外，无论你多高的级别都只能坐经济舱。所以虽然我管辖的是整个亚太区，但是我的行政关系走的是中国的系统——中国早在2007年就规定，飞行时间要超过六个小时以上才可以申请公务舱，所以，我当时从北京飞新加坡是可以申请的，但是从新加坡飞印度就不行。然而我的那位下属走的是新加坡的系统和时间，他可以申请公务舱，于是就变成我坐经济舱，下属坐公务舱飞了这　路——换个思路想想看，这正是一家公司的伟大和魅力所在，公司在福利方面，没有领导和下属，只有"公司人"，并且　视同仁。

当我们已经飞到印度上空时，突然飞机上的公告说，由于我们这个飞行路线出了一点问题，所以必须要停到某个地方去等待四小时。我正坐在那里郁闷，下属跑过来跟我说，飞印度航线发生这种状况是常态，他每次飞印度都会遇到状况，今天这种已经算"小菜一碟"了，有次甚至在飞机已经快降落时突然被告知不能落地，又给拉回了新加坡。

总之，我们在那个不知道是什么地方的地方傻等到半夜，终于才又顺利起飞，等到在班加罗尔的机场一落地，我第一感觉是完全不像个机场，感觉是到了一个二、三线城市的自由市场，拥挤不堪，墙上都是脏东西，而且热得要死。我当时真的很惊讶，一个被称为"世界新硅谷"的地方机场会破败脏乱到这种程度。

等看到接我们的车时，我又吃了一惊，那就是一个三个轮子的小蹦蹦，北京人管类似的车叫"三蹦子"，就那么一小破车，然后从里面钻出一个穿得特别正式，戴着帽子，宛若给贵族开车的专职司机那么一个印度大高个儿，这个反差实在太大了。车里空间特别小，把人塞进去，行李就塞不进去，折腾良久，最后是把我们的行李别别扭扭地硬塞在前座上才得以出发。

到了公司的合同酒店，又受了一回刺激。天哪！那个贵和破又形成了一个极大的反差！酒店最多能勉强称为三星，但价钱却至少是北京的四五倍，一晚上就要三百多美元，你还别嫌贵，这还是合同价！

进到屋里，热水也没有，空调也失灵，什么什么都没有，唯一能喝的是它提供的瓶装水——酒店严重警告不能喝它的自来水，除了提供的那一小瓶水以外，这屋子里任何的水都不能喝。并且还特别提示，洗澡也要特别当心，千万注意不能让水流到嘴里去，否则会拉肚子——我唯一的安慰是至少床单看起来是干净的，不管能不能睡着，至少还能有个地方躺下去。

到了早晨，早餐看上去也是黑黢黢一副很可疑的样子，我虽然非常饿，也还是不敢吃，就直接去公司开会了。公司在班加罗尔的"硅谷"，那条街一进去，给人的感觉说夸张点儿，就像是一个"外企集中营"，这边是IBM，那边就是微软，旁边是EMC（易安信公司），再旁边就是Oracle（甲骨文公司），给人的感觉是好像"硅谷"里的印度年轻人都不愁换工作，要想不干了，直接出门，过一条街在对面敲门，就又是另一家世界顶级的大公司——我们开会的会议室窗户外边，就是微软的徽标在闪着光。

"硅谷"里面人乌泱泱的，到了中午，各大公司的员工，全都贴着建筑物的墙根站在外面晒太阳、聊天，人挤着人，完全跟我们平日看到的，外企里面人和人之间保有的矜持感不一样。

访问完班加罗尔之后我们到了德里，机场仍然很破，街道仍然很混乱，牛车、马车、汽车混杂在一起。在那里的访问过程当中，有一天我们乘出租车去某地，路上我们的司机和另外一个司机发生了争执，后来两人还打起来，脸上全是血，我们就跟司机说让他先去医院把脸上的血和伤口清理一下，弄好我们再往前走。他死活不去，说怕耽误时间，拿张纸一擦就接着往前开——整个过程表现得特别自然，好像这里的生活从来就是这样。

顺便说一句，在我看来，印度真是一个适宜瘦身的好地方，我在印度吃的第一顿正常的饭是到了德里住进希尔顿酒店之后才实现的，在那之前我几乎没怎么吃当地的东西，就靠着在新加坡时买的一包饼干度日，一下子瘦了很多。

在德里所有事情都做完的那天晚上，我闲来无事就跑到酒店大堂坐着东看西看，一路走来，真觉着印度是一个特别极端，反差特别大的地方。在我们住的希尔顿五星级酒店外面就是一个棚户区，要饭的人特别多。但你只要把目光稍稍收回来一点，就会看到酒店内奢华、主流、国际化的另一番截然不同的景象——尤其是那天希尔顿有人举办婚宴，出入的尊贵客人特别多，让我无意中看到了反差最大的一幕，如果此前出现的都是各款屌丝，那么这一刻让我看见的，堪比皇家公主。

那是傍晚时节，夕阳西下，我看见酒店门口驶来一辆很豪华的奔驰，停下后，从车里走下来一个美到几乎让我不能呼吸的印度女人，简直美极了，一看就觉得脸上写着大大的贵族两个字，看起来像个印度白人，应该在国外的贵族学校受过皇家教育。在我看来，她穿了世界上最美的一件纱丽，简约的黑白冷色调，却把她映衬得宛若费雯丽再现。当她和应该是她母亲的一位年长但却更加优雅的女性一起走过我身边的时候，那个香味，那种典雅悠然，简直让身为一个女人的我，都险些要拜倒在她的纱丽裙下。

就在那天夜里，我乘飞机回北京。这一路走下来，见识了印度市井贫穷的一面，到了临走前这一刻，终于见识到印度仪态万方的一面，作为一个"企业观光客"，也算是不虚此行。

不过说到印度之行，让我最惊心动魄的事情居然不是此前我们的司机与人打得头破血流，而是发生在我去赶返航飞机的路上。我是那天夜里两点半的飞机，但是去机场需要坐一个多小时的车，也就是说，我需要在夜里十二点半由酒店出发去机场。

我那位负责印度的经理给我找了一辆车，说"应该是很安全"，但他们所有人都没想到，我是一个女老板，深夜出行，至少应该找一个印度分公司的本地男生陪我到机场——因为德里治安很差，每天都有很多起强奸案发生，每天都有很多起杀人事件发生，而且根本没有什么案件多发地的划分——德里到处都是案件多发地。

结果我们都没考虑到这个问题，直到我那天半夜一上车，看到那个司机对我笑的那一下，突然没来由的，我大热天头顶脚心一阵阵发凉。我突然有种感觉，他是个坏人，笑容如此邪恶，他是不是要带我去一个我不知道的地方。我也说不上来为什么会有这种感觉，也直到这时我才意识到夜里在印度单独出行是一个很严肃的问题，可是这个时候再想做准备，已经来不及了。

之后那一个多小时的车程对我来讲，简直无比煎熬。我坐在他后面，他一直在跟我说话，可我一句都听不懂，只是觉得毛骨悚然，因为车开着开着已经从喧哗区开了出来，周围全是棚户区，除了要饭的，根本没什么人，走到后来，甚至出现很多坟堆。大半夜，四周漆黑一片，路上根本没有灯，也看不到路牌，我当时心里又害怕又哀怨，甚至开始胡思乱想，"儿子，妈妈有可能再也见不到你了"。

　　唯一的安慰是我记住了警匪电话，我这一路就死死地拽着我的电话，准备随时派上用场。那一个小时左右的车程，无比漫长，无比难挨，人在自觉特别危机的情境下，会快速在脑子里"放映"一遍自己的一生，我这次算是经历到了。直到突然远远的，我看到了一个豆大的光，人在危难时刻看到火和光的那种感觉，如果没有这次经历，我肯定无法想象，那时的一颗心是怎样在绝望与希望间徘徊。

　　慢慢走进那个灯光以后能看到路牌了，上面用印度语和英文写着"机场"，我的天哪！看到这个，我的眼泪几乎就要掉下来。然后心里瞬间很歉疚，为什么我要去错怪一个好人，他虽然长得很凶，但他并不坏。到了机场之后，一开始那么害怕的一个人，我居然给他一个拥抱，我说真心谢谢你送我到了机场，真的高兴死了。

　　这一个多小时的"惊魂记"之后，再看到跟农贸市场一样的机场，商务舱乘客区里七倒八歪的箱子，以及被肆虐的蚊子轮番攻击时，我心里居然很变态地觉得"好亲切"……当我登上祖国的航班，上飞机的第一句话是告诉空乘，"你们不知道，我现在有多爱祖国"，他们都笑死了，说我不是第一个说这话的人，从这儿上飞机的，他们已经看到好几个跟我说类似话的人了。

　　你能想象吗？我是那种在飞机上从来都睡不着的人，结果那天从德里飞回北京的六个小时里，居然破天荒美美地睡了一觉，估计是被惊吓过头了……

　　出国心经第四条：人不可貌相。

　　出国装备秘籍：最好事先预估出差行程，如有余暇，在当地找个靠谱的导游带着走一走，有无可取代的收获。

　　我的前往地：南美洲－巴西、墨西哥。

2003 年的某一天，我打开邮箱时发现里面有一封邀请信，公司现在的全球CMO（首席市场官）邀请我跟他一起出访拉美，主要是去巴西和墨西哥。受邀的只有两人，除了我还有一个当时负责德国区的CMO——后来他每年都会邀请一些国家区域的代表跟他一起出行，但我们那是第一次，这是后话。总之，接到这个邀请，我感到非常受宠若惊！而且做"企业旅人"这么多年，跑遍了大半个地球，唯独没去过南美洲，所以我对这趟行程相当期待。

老大的本意是打算让我们都飞到美国集合，然后坐他的专机到巴西，这样在路上我们还能聊聊天什么的，可是我一想，这趟行程太可怕了，飞到美国我就已经半死了，然后接着飞巴西又那么久的时间，我肯定受不了。那会儿我也是楞，老板的盛情邀约都敢拒绝，我说德国倒是离纽约近，你们可以一起飞，我就直接从北京飞巴西圣保罗了。

北京飞巴西，从巴黎中转，这是我人生中经历的最长一次飞行，虽然不周折，但是在飞机上的飞行时间已经超过二十四小时，而我在飞机上就是很难睡着，所以尽管没有去里斯本那次惨，但是也累得够呛。到巴西的时候是早晨四五点钟，老板们应该是晚上能到巴西，所以我可以有一整个白天的时间休息和调整一下。

坐车从机场到酒店的路上，看到巴西首都圣保罗清晨的景象，又给了我一个不大不小的刺激。原本我想象中的南美应该到处都是热力四射的拉美人，到处都是舞蹈和音乐，然后还有椰子树什么的。结果这一路，几乎没有行人，安静到甚至冷清的地步，再加上房子都是大棚房，特别像我小时候才能看到的那种破破烂烂的房子，远远看都刷着蓝色的瓦，等车驶到近处再一看，又矮又低，上面还有很多鸽子笼。天空也不怎么蓝，高压电线横七竖八，显得很沉闷，不过也许是时间太早的关系吧。

住进酒店后，仍然睡不着，时差实在太乱了。好在去巴西之前，有朋友给了我一个电话，说那是她在巴西的朋友，已经跟对方打过招呼，如果我到了有时间，可以让对方带着我到处转一转。于是我就给那个人打电话。那是个周末，接电话的女孩儿说过一个小时来接我。

一小时后，她和她的男朋友开着一辆特别小的奔驰来接我，说带我去一个特别好玩儿和奇特的地方，"一定会让你觉得非常惊喜"，我说什么地方？她说先不告诉你，惊喜留在后面。那个城市有很多山坡，于是我们开车一路七扭八拐地开到了一个坡上。在那儿，女孩儿把车一停，说接下来不能开了，必须得步行——然后他们把我带到了菜市场。

我简直快笑出来了，女孩儿显得很兴奋，说相信在中国肯定没有这种农贸市场，"这是我们巴西的一大特色，你们中国肯定没有这种农民把自己刚从地里挖出来的菜摆放在那儿卖的地方。"我一下子无语，心想我在中国可是每个周末都自己跑去农贸市场买菜做饭的呀。不过她对中国实在不了解，她认为我们可能用的是类似泰国的那种水船做水上贸易呢。

管它呢，既来之则安之。我就装得好惊喜，特别有兴趣，啊！辣椒，啊！玉米，多新鲜啊，一堆……而且我还真买了点儿水果。不过说良心话，区别还是多少有一点的，国内菜市场里卖菜的大多是菜贩子，而巴西则是真正的农民，那种朴实自然让人心生好感。姑娘和他男友也买了很多菜，看起来一副丰收景象，但即便如此，也不到半个小时就逛完了。

接着他们说带我去圣保罗当地最好的一家餐厅吃饭，这家餐厅里面有一颗树龄超过二百年的银合树，所以这家餐厅就叫"树"（Tree）。说实话，饭菜的确好吃，我吃了很多烤海鲜，喝了当地的啤酒，酒足饭饱之后，终于憋不住了，我说咱们刚才逛了菜市场了，那一会儿能不能去一个当地真正的购物中心看一眼？我估计他们也想买东西，而且我到一个城市，就很想去看看它的商业是什么样子的，这能反映出一个城市的成熟程度。他们把我带到了一个类似北京的燕莎或者赛特的购物中心里，逛了两个多小时，就买了三双袜子，东西很少，而且价格贵得离谱。

到了下午回到酒店，老板们也到了，所以接下来的行程就回归了正题，除了会议就是参观和访问。这个过程中，让我印象很深的当地特色有两样，第一个是保镖，通常在国内要惊动警车开道的，除非是我们整个公司的CEO来访华。但是在巴西，警车也可以花钱雇，而且并不贵，有了警车开道我们可以走得快一点儿。更绝的是，因为拉美治安一塌糊涂，所以我们每天出门还有四个保镖跟着，这几个保镖都穿一样的衣服，深色西装，戴墨镜，车一停，啪一下站出来，腿一叉，手做足姿势，然后都戴着蓝牙耳机保持通讯——特别像电影里的某段情节。

第二个是直升机。拉美和美国一样，到处都可以雇直升机，所以我们有时候出行用的是直升机。其实直升机上非常吵，什么也听不清，并不舒服。最绝的一次，我们从郊区飞回来，要把直升机停回在巴西圣保罗我们公司办公室的楼顶，因为是超低空飞行，所以你总感觉好像随时飞机都会碰到那些房子，然后等飞到我们的大楼上空，我从上往下看了一眼后，简直汗毛倒竖。这栋楼顶被划分成四块，其中三块因为建筑设计的缘故，是空心的，比如28层的大楼，它的楼顶可能在20层，上面是没有封顶的，看上去就像几个黑洞。四个方块中只有一个方块是实心的，上面画了一个大圈，中间一个红点，意思是让飞机停到那个红点上去。

我虽然知道飞机是要停到红点上去，但不看实景你真的很难想象那种四周空空如也却硬往上面降落的感觉，至少对我来说，这个过程太瘆人了——飞机就那样直接朝着黑洞冲了下去，我控制不住地大声尖叫，狂喊救命，心想完了完了，我要写遗嘱了。据说当时整个飞机上五个人看着我笑得要死，但我那会儿已经吓崩溃了，完全顾不上这些，加上飞机噪音很大，我根本听不见他们的笑声，只看他们张着嘴，也不知道是在笑还是哭，以为也在喊救命呢，脑子里全乱了。

结果当然是没事，开飞机的是他们空军退役的飞行员，技术好得不得了，稳稳当当停在红点上。当飞机停稳那一刻，整个飞机上所有人笑成一团，趴在那儿都笑得直不起腰来，他们说看看Gill，这个惜命鬼，今天这一幕简直太精彩了，访问客户什么的统统不重要，今天最重要的事情就是刚刚过去的这几分钟……

三天的访问行程马上就结束了，到了最后一晚，巴西分公司的人跟我们神神秘秘而又非常骄傲地说，今晚带我们去当地最特别的一个地方吃饭，那家餐厅的名字叫"树"。我这个人还特直，听到这个蹭地一下接了一句，你们这里除了"The Tree"就没有"The Grass"或者"The Flower"之类的地方了吗，怎么就这一家餐厅啊？然后他们其他人就瞪大眼睛，"How do you know?"（你怎么知道？）我说我已经去过了，因为啪啦啪啦……他们又笑得趴做一团。结果我又在树下吃了一顿饭。

这就是我的巴西之行，访问结束后，我们从巴西飞往下一个目的地，墨西哥，途中在厄瓜多尔做了一个短暂停留。此间照旧有几天公事访问，大同小异。访问结束当天，老板他们就直接从墨西哥飞回美国了，因为很近。而我飞北京的航班要到第二天晚上才有，所以我还有一天的时间可以逛一逛，于是就找了个朋友给联系了一个当地的导游，带我第二天去看看墨西哥非常著名的金字塔。

　　第二天，当我看到来接我的导游时，整个吓了一大跳——我想象中的导游，要么是一个小姑娘，要么就是中青年男子，我从没想到会是一个 50 多岁的女性，而且浑身的装扮朋克到不能再朋克——一头短短的金发全部立着，化了浓重的烟熏妆，穿一个银色的夹克，一开口声音很沙哑，典型的烟酒嗓，她说自己是我的导游，才刚说话，啪！一支烟就拿出来了。

　　我有那么一瞬间都不敢跟她走，后来聊了会儿天，才知道她原来是墨西哥航空公司的空姐，退役后自己开了一家旅行社，在当地颇有名气，她就是老板，今天亲自来陪我玩儿。她服务的对象，全是世界级别的当红明星和企业 CEO。

　　这一天下来，你不知道我有多感谢她。真是人不可貌相，她太棒了，非常职业，非常明白怎么做 VIP 服务。她把那一天的时间计划得非常好，我们去了金字塔，她懂得所有的传说和历史，会给我讲关于这些地方的各种各样的故事，而且特别体贴，我爬不上去的地方，她就拉着我；然后她对时尚的感觉极好极好，我在整个拉美都没买东西，但那天就一小会儿时间，她带我到了一个很有特色的购物中心，里面的东西物美价廉，很多衣服首饰我到现在还在穿用。她会问我的口味，然后一下就心领神会，带我去的餐厅，饭菜味道实在让人惊喜无比。到了晚上送我回酒店，帮我打好包，又送到机场，就这样一直把我送到她不能再走进去的安检口，这些举动实在太让人心暖，我到现在都还跟她保持着联系，心里怀着一份厚厚的感激。

　　我觉得在这个世界上到处跑，最大的乐趣之一就是你会遇到各种各样有趣的人。比如这个导游，你会觉得这个人给你的第一印象就是个街头的嬉皮士，是个老混混，叼根烟，匪气十足。但等有所接触后，立马惊觉自己的第一印象是多么站不住脚，她根本就是一块宝，给了我太多的超越期待，出乎意料。

旅行，是企业旅人的必修课；国际旅行，更是现代职场中人国际化的一章。如果再说长一点，它就可以写成一本现代版的"马可波罗游记"或者拍一部"环游地球 80 天"了。我说再多，也代替不了你千里之行、始于足下的第一步。所以，去看吧，去看看这个世界。

穿衣哲学

身为女性，不是在职场上的所有一切都要力求
"像个男人一样"，你不会因为举止打扮更像个
男人，而在职场上获得更多的尊重与荣耀。

偶然瞥见美剧《童话镇》（*Once upon a Time*）里一个情
节：警长让身为副警长的艾玛打领带，艾玛不愿意。她说：
"A tie？ You know you don't have to dress a woman as a man to
give her authority." 大意就是说，"领带？你要给女人授予职权，
也不必非要让她打扮成男人。"我深以为意。

身为女性，不是在职场上的所有一切都要力求"像个男人
一样"，你不会因为举止打扮更像个男人，而因此在职场上获
得更多的尊重与荣耀。这么说吧，工作能力和成就与之匹配就
好，在性别魅力和女性美感方面，还是表达本色更妙——某种
程度上，这也是身为女性，在职场上工作的一种基本礼貌。

尤其在一些特殊时刻，比如你第一次去新公司上班，第一
次去外派的驻地见同事，以及见重要客户的第一面、主持代表

公司形象的会议等等，是一定要在着装方面花心思做准备的。不能说我"内容为王"就好，形式包装都不重要。也许在自己看来，这叫作"豁达"，自觉有一种不修边幅带来的坦率之美，但在对方看来，这叫作"随便"，意味着这是一个随随便便的人，以及一家随随便便的公司。

所以，一年365天，估计有五天我睡前完全不会考虑第二天要穿什么，这就算极端情况。一般情况下，"把第二天要穿的衣服搭配好"跟"把工作做到该做到的程度"一样，是我在头天晚上睡觉之前必定会做的两件事。

如果头一天晚上没准备好，我第二天一定是乱的。首饰和衣服不搭、衣服和包包不搭、鞋子和衣服不搭……从起床就开始乱，然后心理上总觉得今天没有准备好，不能给客户、工作的同仁、朋友、家人一个赏心悦目、干练高效的好感觉……往往这种情况下，这一天的工作效率和心情都不怎么样。

也是因为有这样的压力和紧迫感在，所以尽管我没有受过相关方面的专业培训，却也因为多年的实战经验而给很多人一个"很懂穿衣搭配"的印象，内心自然小小满足一下，悦己悦人之余，也把我那点小小的穿衣心得和故事分享给大家：

先入为主：我的"入职第一天"。

我到现在供职的公司工作已经超过10年了，然而直到今天我仍然记得入职第一天穿的是什么，记得非常清楚。为什么？因为我为此认真做了准备——那时我对这家公司具体是什么风格还不太清楚，然而我是来做高管的，又是空降兵，别人都不知道我是谁，这是我的第一次亮相，所以要足够重视。关于应该穿什么这件事，我当时的想法是，要让人感觉我很稳健、持重，但同时也要保有我原有的比较时尚轻快的风格。

于是，我上身穿了一件白色的软缎子衬衣，白色给人的感觉很干净，而且没什么威胁性，容易接近。再者，缎子这种材质软软塌塌的，独有一种女性专属的柔美味道，并且那件衬衣前襟上有两股辫子式的设计，做得很别致，细心的人一看就知道穿衣服的人是一个有自己格调和品味的人。

与之相配，我穿了一条过膝的，黑色中带隐约条纹的鱼尾裙，裙子细节设计很赞：包身兼鱼尾的设计是神来之笔，这是属于"我"个人对衣着的态度和坚持；同时"黑色"和"过膝"又能体现持重保守，这是我对公司环境的尊重——这里值得说的是，我始终认为，在商务场合里，女性最礼貌的穿着是裙子，而不是西装裤。

之后我有位美国的男同事印证了我这个观点，有次聊天他跟我提起，他原来服务的一家投行里有一个巴西女子，美极了，美到什么地步？据说漂亮到公司里所有的女人都不跟她说话，因为嫉恨她。她就特别懂得发挥"女性优势"，她其实跟任何人都没有干过出格的事，也从不违规，她就只做一件事，就能为公司赢来无数的单子——每天都穿裙子，显出自己最窈窕的曲线。她永远知道要用她身为女性的这种柔美的姿态去展示给客户，同时她又非常智慧非常专业，这样的人，客户有什么理由不喜欢呢？

说到此，我这位美国男同事欷歔一声说："美国女人最失败的一点，就是她们永远把自己当成男人去跟男人竞争，可你既然身为女性，就应该尽显你的性别优势，这才是平衡跟和谐呢，我们美国的女人在这方面算是彻底完了，因为她们已经完全忘了她们是女人。"

言归正传。因为衣裙已经有了细节和重点，所以鞋子配了一双黑色最简约正统的高跟鞋，然后，散着我那头大波浪长发，就这样去上班了。

各种开会、见面、人事手续……这一天下来，凭着一份留心和敏感，我大概已经知道这个公司是什么气场，同时也暗暗高兴了一下，知道自己"蒙"

对了。这里大多数人都穿深色西装，剪裁合身，面料考究，但样式很传统；戴着很贵的手表——它跟我上一家供职的公司风格很不一样，它相对老派些，大抵是因为公司起源自美国东海岸的缘故，非常有历史感。这里的人穿戴都喜欢高品质的、有沉淀的低调奢华，而不是闪亮多彩和个性张扬。

于是回家后我就想，在这里应该怎样穿衣搭配才可以有益于我的职场生涯——商学院里会教一个"80/20 法则"，大意是说，"在任何特定群体中，重要的因子通常只占少数，而不重要的因子则占多数，因此只要能控制具有重要性的少数因子即能控制全局——我给自己在这家公司的穿衣风格也定了一个"80/20 法则"，80% 尊重公司文化和气场；20% 做我自己，不能完全泯灭我自己的个性。

这纯粹是因为工作环境的需要而做出的改变。要知道我在之前的那家公司穿衣是非常有个性的，我记得几乎没穿过套装，除非是极正式的场合——当然也肯定不会穿得袒胸露背，只是每天都穿得特时尚，百分百是我自己的风格。比如在有点透的长外套里穿个小背心之类，大家都这样，都司空见惯，也习以为常。

而到了新东家，在这样的环境氛围下，我自然不能随心所欲，但坦白说，我属于那种即便在顺应大环境做出改变，也一定会在恰当的时候把自己那点小个性"漏"一点出来的类型——小荷才露尖尖角，恰到好处就很好。

所以回到穿衣搭配这件事上就是，衣服配色肯定变成灰黑蓝白为主，偶尔有小抹艳色，也是零星点缀，不敢逾矩。以西装为主，简约传统的式样为主，同时在财力允许的范围内更注重衣料质地。

但我有个"毛病"，就是我如果穿西装，一定要穿出细节，所以就对裁剪要求特别高。我当时最喜欢的西装品牌是阿玛尼（Armani），它腋下的裁剪很到位，可以把身材修饰得特别好，你想衣服颜色已经那么深了，那就总得有点儿设计和细节才能看得出特色吧，这就是我那点儿20%。不过阿玛尼太贵了，当时的我买不起，所以只是在国外看衣服时努力把样子记住，然后回来找裁缝做。

另外能发挥我20%个性的地方就是丝巾。我那时恨不得有上百条丝巾，它是很好的表达自我的方式：既不会被忽视，又不至于喧宾夺主，可以变着花样搭配几乎一成不变的正装风格——这让我想起在解放军外国语学院上大学时那种军旅生活的日子，我们上军校只能穿军装，并且不能做裁剪，于是裤子总是肥肥大大像个麻袋一样套在身上，每个人看上去都一样。唯一自己能做主的"自留地"，是到了大三以后，军装领口露出的那点衬衫领子可以不被限制，所以我就穿一点符合自己心意的衬衣，比如有绣花的，有木耳边的，颜色很粉嫩的……来实现我被军装限制下的"臭美小心愿"。

因需而变：我从亚太区回到中国区，变成了"熟悉环境里的陌生人"。

这个时候我已经算是现在供职这家公司的"老人"了，在这里工作了八年多，但因为此前约有三年左右的时间都没有工作在中国——先到美国，再到日本，然后从日本回来又在上海负责整个亚太区的业务。所以对北京的同事来说，我属于"全球"而不是"中国区"太久了，尽管不乏熟人，但也有很多认识的人已经离职或者到了别的区域工作，加之又来了很多新人，所以对于相当一部分人来说，尽管他们知道我的名字，但对我本人来说却是陌生的。因此，作为"一个熟悉环境里的陌生人"这样一种特殊的职涯角色，我回到中国区的第一次亮相，也花了点小心思。

我担心大家会否有这样一种预判：她出去了几年，"镀金"回来了，会不会觉得自己很了不起，然后样子也弄得偏美国人或者日本人的范儿……不能说完全不存在这种猜想。其实我那几年在国外，只是英文说得更好了，毕竟工作语言是英文，但别的方面，无论是穿衣打扮还是行为举止，我仍然很中国，加之这次能让我回到中国区工作，能让我跟家人团聚而不是两地分居，我特别感恩——所以我觉得自己有必要从衣着上就让大家看见我的态度。

所以我这次回公司的第一天穿得很低调，这是我的"家"，这里所有人都认识我，至少都听说有我这么一个人，所以不用去刻意穿什么来吸引任何人的注意。于是我那天很少见地选择了穿裤装：一条黑色的修身长裤，上身穿了一件在上海做的绿蓝两色搭配的半中式小棉袄，小小的，独有一种精致的风情在里头，因为正好赶上快过年了，所以也符合那个时间点上大家的心情。我那时是一头长长的直发，所以整体看上去就很东方，我希望通过这个样子跟大家传达一个讯息——能回来，我很感恩，并且我仍然还"接地气"，没有任何张扬的自我感觉良好，我是温和有礼、低调谦逊的。

从后来得到的反馈来看，大家觉得我没有像他们想象中那样因为跑出去工作了几年就把自己捯饬得不伦不类，也没有因为这段职涯而变得"人五人六"。其实对我来说，我的穿衣仍然还是沿用的那个"80/20法则"，只是使用得更高级了——能懂得展示"精气神"的原味深邃，而不是一味通过装扮来给它加作料。

其实，当人出国工作了几年，受过真正的全球化洗礼，气质中一定会带着国际味道。但这种时候，你是要回来工作，要融合，要接地气儿，你不是来访问或者来彰显什么，所以"接地气"的低调的装扮，比恨不得让所有人都知道自己是个"全球化人才"的装扮要贴心和合理得多。

适应场合：我外派美国时，第一次和大老板一起参加重要的活动。

我还记得是2006年8月20日到的美国，正好那时儿子还在放暑假，在开学前还有几天可以休息的时间，所以我们全家就一起到了美国。那一年特别闷热，也正好赶上美国休假的旺季，所以当我踏进美国总部办公室的时候，发现里面基本没有人，都在休假。后来打听了一下，说这个时间段是美国人撼天动地都改变不了的休假时间，所以跟我讲那两天也不用去上班，反正也没人，找房子把家安顿好再说。

于是，我们就开始找房子，搬家，到美国的第一周都扑在这件事情上，特别忙。我记得到了星期五，终于搬进了新家——在一个叫白原市的地方，离纽约市坐火车要三十分钟，我们在那里的一幢公寓楼里租了个两居室安顿下来。因为房间的网线还没装好，我就抱着电脑去公寓楼一层的图书室上网查邮件。一连上网，很多封信扑过来，我发现其中有一封是Jon发过来的，他是我现在供职公司的全球高级副总裁，主管市场公关这条线，是我的大老板。

邮件很简单，就两句话。第一句，欢迎你来美国工作。第二句，为了表示我的诚意，我决定明天带你去纽约看"美国网球公开赛"的决赛，就看你有没有空，不过明天曼哈顿会非常拥挤，所以我带你坐我们的直升机过去，上面风很大，你要带好外套。

当时看到这封邮件我几乎要跳起来了！心想，天啊！我到美国上班的第一天竟然是这么幸福的。我知道"美网"是美国每年最大的体育赛事之一，我们公司是它的金牌赞助商，所以当天会有些比较好的观赏席位。但对我来说，能够坐在包厢里在现场看决赛，这在之前我连想都没想过。

事实上，大老板这次邀请其实看似简单，实则非常用心。一方面，他的确对我非常友善，而且他知道我不开车后，还肩负起了送我回家的任务。他的车事先停在赛场附近，我们坐直升机过去，然后返程的时候他开车回家，同时把并不顺道的我也送回家。我猜想他很可能是要在这段路程里给我一些工作上的建议，告诉我此次来美国工作的这四个月要注意些什么，应该做些什么事等等。另一方面，他经常会选一些他比较看好的人同他一起参与一些活动或者访问，我后来才回过味儿来，这也是一种考验，看看你在一些特殊的商务场合会如何与其他人应对往来——假设请你去白宫你会怎么表现，会不会怯场，会不会张扬，是否能拿捏好说话做事的分寸。这时候要脑子特别清醒，绝不能忘乎所以全情投入地去看比赛，眼里还是要有事儿，要有人。

讲回穿衣这件事。说实话，这次应该穿什么真是难住我了，以前不管怎样基本都是商务场合，相对都好拿捏。可是这次是去看比赛，又是跟大老板一起去，而且看比赛之前还要一同去参观公司的技术中心。而我刚到美国，衣服也没有带很多……加之我们这位大老板是很注重穿衣品质的一个人，不但他自己的衣服看上去就像是专门的订做款，全是些低调奢华的极品，而且在公司里有些人会在他不在的时候穿个拖鞋之类的，但是一听说他回来，立即换上高跟鞋，因为他特别不喜欢大家随随便便的样子，没有在相应场合该有的穿衣礼仪。

所以我就想，他已经很久没有见到我了，这次又要带我去参加这么一个相对特殊的活动，我一定不能穿错。于是我赶紧给我一个芝加哥的女朋友打电话，她网球打得特别好，是个超级网球粉丝。我就问她，明天我要跟老板去看美网，一般去看网球比赛，西方人都穿什么衣服？她说，哇噻，你真是问得太及时了！

她说，不知道你有没有看过法国网球公开赛，那个最能代表西方人在看网球比赛时的穿着礼仪。简单说就是要"休闲的正装"，质地要非常好，一般来说穿淡色系的，比如丝质衬衫配飘逸的长裤，通常不会穿裙子。然后再有个丝质的围巾做配饰，再加上墨镜，女士会戴帽子——就好像一场仪式。你千万别像在国内看比赛似的，穿个背心大裤衩去，那就彻底歇菜了。

打完电话，心里"虚惊"三秒，心想幸亏问了人，于是当晚跟我先生一起做决定，帽子就省了，因为要坐直升机，加之我是一头直直的长发，不怕风吹，越吹越好看。中国缎子又发挥作用了，我决定穿一件淡粉色的缎子衬衫，配一条米白色的休闲长裤，外加一件开司米的黑色外套，但是我用系在脖子上的方式来"穿"它，毕竟晚上会很冷。此外再配一副墨镜，一个白色的小包，一双有一点点跟儿的高跟鞋，正好是粉白相间的颜色。因为要去参观数据中心，要走很多路，不能穿太高，但是如果完全平跟儿，搭配那种长裤又会不好看。

我记得Jon第一眼看到我时还夸奖了一句，旁边人更夸张，说我都能把人美翻了，他不会说那种话，但我得到了一个信号：今天他带我同去不丢人。

到现在我还对一个细节印象深刻：因为螺旋桨旋转的关系，风非常大，需要快速地走开，不然会被风吹倒的。但那是我第一次坐直升机，根本不知道。所以下来后还跟人聊天，走路慢慢吞吞，当我感觉我系的那个开司米外套都要飞掉了，就在这时，有人快速走到我身边，轻轻把手虚揽在我肩上，给了个力，带着我赶紧走开那个地方，那一瞬间，我感觉自己就好像在演电影。

现在回想起来，那晚也给我上了关于"外派"时如何跟大老板相处的很重要的一课：那就是千万不要抖机灵。比如那天晚上，看比赛其实只是一个很小的部分，更多的时候我们在听各种汇报，比如公司赞助的具体是哪块，我们用的是什么技术去做支持，如何实时传输数据等等。在这个过程里，我们话不多，但他会时不时地就听到的东西问我问题：你怎么看？这种情况在中国会怎么样？

　　我知道他问这些其实是在观察和考验我，我应该就此发表点精辟看法。但是我告诉他，"Jon，我想多看一看，多观察，我到现在还没有想法。"我很诚实地回答他的提问，没有抖机灵耍小聪明——他那么聪明的一个人，做到那么高的职位，见过太多太多人想在他面前拼命表现，想在他面前抖机灵，那我干吗还要那样，坦诚有时是最好的智慧。所以我一切如实回答，我刚到美国，这是一个全新的课堂，我不懂，所以接下来几个月我就是来学习的，这就是我的定位。我发现他似乎对我的回答很满意。

　　话说回来，身处那样一个待遇非常特殊的极度奢华的环境里，人容易变得忘乎所以，不知道自己是谁，说话做事难免虚假浮夸。某种程度上，穿衣打扮也是这样，灰姑娘穿上裙纱也可以假扮公主，但十二点一过自然原形毕露。所以，装扮很重要，但更重要的是，永远要知道你是谁。也只有这样，才能像张爱玲在《更衣记》里写的那样，让衣服成为自己的"一种语言"，一出"随身带着的袖珍戏剧"。

　　我始终认为，懂得穿衣打扮，只是为了让自己更成为自己。

第三章

职场炼金术

小女子·大智慧

BLOOM

只有享受自己的工作，才能做到最好。所以我总认为，只要拿出全部的力量，投入全部身心、热情，以及智慧，不论做任何工作，都有机会做到卓越，也就一定可以从中体会到满足感。

构成个人品牌的东西，这是真正重要的，要建设真实的自己。

要让对方感觉到你的"忍"，而不是"怂"，你随时可以发出那只箭，这种效果才是最棒的。

"东西方共事"中，"管理期望值"的根本，是要"让对方不需要期望"。

管理期望值这件事，一方面跟管理好"信息不对称"，别让对方"突然受惊"有关；另一方面，还跟管理别人对自己的"预期分数"有关，只有这方面管理好，才能做到"超越期望"。

有句话说每晚八到十点的两个小时你在做什么，决定了你今后五到十年的每天八个小时可以做什么，我非常赞成。所谓屏蔽诱惑，实际到最后，就是你自己怎么去理智地过好自己的生活。

商业也是一种艺术，就像绘画讲各种流派：印象主义、抽象主义、矫饰主义、超现实主义等等。我觉得开会这件事，就是一个抽象艺术，可以只通过简洁的线条和色块就把事情表达清楚，同时还让人觉得非常睿智干练，并且给人无限遐想。

工作圈子DNA

这个世界是由无数"圈子"组成的，所谓国际性人才，无非是无论到了哪个国家的工作圈子，都能大抵知道进入圈子的叩门密码而已。圈子也是一座围城。只是跟婚姻的区别在于，城外的人拼命想冲进城里去，而城里的人未必想让他们进来。

我们总说要成为一个国际性人才，殊不知有多难。

国际化的语言交流能力、思辨逻辑能力、工作适应能力、知识结构模型……这都是"硬功夫"，能做到这些已经不易，然而却还不够。要想成为一个国际性人才，去到哪里都不会水土不服，其中有一项软实力特别重要，就是你是否深谙不同国家、不同文化属性影响下的工作圈子里特有的DNA是什么。

因为无论我们怎么说兼容并包，天下大同，这个世界说到底还是由无数个圈子组成的。所谓国际性人才，无非是无论到了哪个国家的工作圈子，都能大抵知道进入圈子的叩门密码而已。

如果进不去那个圈子，尽管短时间内表面看不太出来，仍然和风细雨，万草千花。然而时间稍微一长，无论是自己还是别人都会明白：那些美好不过是彼岸荼蘼，终归一副貌合神离感。你会因此有一种不舒服的感觉，就像一根找不到具体位置，但又确实藏在肌肤中不时扎你一下的刺。

圈子也是一座围城。

只是跟婚姻的区别在于，城外的人拼命想冲进城里去，而城里的人未必想让他们进来。

它就好比是神话中那座著名的特洛伊城，希腊军团用尽各种方法，九年攻城而不入，特洛伊人把自己的圈子建得固若金汤，防范有加。说回现实，尽管我们只是为了可以"更好地工作"而努力想要进入某个圈子，不是为了去攻城略地，但实际上，这种进入其中的难度，并没有比开疆拓土容易几多。

有时心里也难免想要发脾气，也想用王朔式的口吻来发泄埋汰一句："一帮假鲁！"我为何一定要融入他们的工作圈子？但赌气过后，你比谁都明白，要想真正成为一个国际性人才，这一关无法绕过。

我也是到了要负责整个亚太区十七个国家，并且要向美国总部时时汇报之后，才有了这方面的深切体会。就用离我们很近的日本和印度两个亚太国家举例吧，只有相对深入其中，才会发现在不同国家工作的人的的确确自有其不同的圈子DNA：

日本的圈子DNA：内集团（インナー・サークル）

日本人有个说法——インナー・サークル，意思类似"抱团儿的兄弟"——我们哥几个就是一个圈，我们自己拧成一条绳，其他国家的人来了以后，再怎么着你也是一个"老外"，就算你日语说得再好，在日本生活了十好几年，你也别想混进来，这是日本人的圈子DNA，老外根本打不进去——这就好比给你一个带着密码锁的保险柜，却坚决不给你密码。你也知道这里面有好东西，可是除了拿着它占地儿，看着它闹心以外，你似乎也没什么实质性的收获。

我曾经听一个朋友讲起过他在日本工作的故事，他也在一家跨国企业工作，原本他们的日本分公司属于亚太区管理，但是业务老不见增长，而且当地的日本人私下团结得比一根绳还像一根绳，特别有种"同仇敌忾"的劲儿来"一致对外"，比如对待总部的人员任命，或者是总部对他们业绩的质疑。后来总部觉得有点"瘆得慌"，于是就把日本从亚太区单独拎出来直接向总部汇报，不再让日本人全线管理自己的业务，比如CEO是日本人，但是COO（首席运营官）一定换别国人，就是希望把这个局打破，可是收效甚微。

说实话，我听他讲这些的时候，内心真的是在猛点头。我自己在负责公司亚太区（包括日本）的工作中也的确感觉到了这种圈子隔离带的存在。举个例子，总部派了一个在日本生活了二十几年，精通日语，并且在日本的公关界非常有口碑的加拿大籍女性去做日本分公司的某一个高层职位，结果我去走访时发现，那个日本团队根本就不接受她。

走访期间我安排了一天跟她及其团队开会。她属于特别有表达欲的人，这是美国或者加拿大人的一个特点，但亚洲人基本上不太爱讲话，很内敛，尤其当谈话语言是外语的时候，一般人更是不愿意多讲，你愿意说，那我就多听呗。但"听"不等于他没有观点，听不等于他就同意你。

说起来，这会开得特别有意思，整个会基本上都是她在一言堂，说得非常开心，神采飞扬。在她说这些事情和业绩的时候，她的表情和坐在会议室里的团队里的其他人，形成了如此大的反差——她越是说得乱石穿空，惊涛拍岸，周围的人就越是恨不得要翻白眼，要不然就是礼貌而僵硬地点点头，但是表情特别的严肃。可你让他们发言吧，他们就用结结巴巴的英文跟你讲他们做了什么，有什么成绩等等，也没有特别的意见要表达。所以我一开始还以为是因为这位加拿大籍的主管为了照顾我，一直在用英文汇报没有讲日语，而他团队里的人因为英语不太好的缘故，所以只能表情尴尬地坐在那里。总之呢，上午半天的汇报，我听出来基调是什么了，整个是一个向上的、积极的、美好的太平盛世。

从常理上说，新官上任，汇报中难免有些粉饰太平的迹象，这是可以理解的，所以我在听完她的汇报后，一定还会听听其他人自己怎么讲。这至少在日本是一个经验：熟知日本这种圈子文化的人，在听汇报时一定不会只听一个"老外"告诉你日本在发生什么，一定要深入进去看，看这个团队是不是真正支持她，看她的管理风格和整个团队能不能相对较好地融合。

中午他们带我去寿司店吃饭时，我就感觉事情不是那么简单，私底下聊天，我发现这些日本人的英文并不像在会上时表现得那么磕绊，而且眼神也变得比较鲜活。到了下午我跟他们做一对一的团队成员访谈时，简直成了一场控诉大会。

当这些日本人单独一个个面对我的时候，我突然发现他们的语汇如此之丰富，英文讲得都这么好，并且，都带着对他们这位加籍领导的强烈不满。只不过，日本人用他们惯用的委婉来表达这种不满，他不会说这个人应该滚蛋，他会用一些你完全辩不倒的理由来告诉你——我们其实不需要一个外姓人。

理由诸如，"在一个负责沟通传播的部门，如果她不能非常好地运用日文来跟大家做文字方面，而只是口头方面的交流的话，其实是会影响工作的。"

又或者，"她不尊重我们的文化，也不懂这家公司，她是在抓小放大。现在公司最重要的是要做什么？她在做什么，一天到晚讲CSR（企业社会责任），可是CSR是要有前提的……"他们就跟你说类似的话。听起来，他们说的都是"硬伤"，但实际上你心里非常清楚，这根本不是真正的理由。真正的原因是，这个女人没有融进去。

后来我跟总部说，文化这东西真是不可抗拒，日本人认定自己这个团队一定要日本人自己来管，这是一个真理，那我们就不要再试图派其他国家的人去，因为这个人会"死得很惨"，也不会有什么建树。

日本是一个很特殊的岛国，日本人内心那种强大和忍耐是世界上其他任何一个国家的人都无法理解和模仿的，而且他们的职业生涯非常稳定，在一家公司很可能一工作就是一辈子。因此，也许职位不高，但是在公司里的根基非常深，影响力惊人，就像三朝元老一样，看着多少总部任命的CEO来了又走。所以某种程度上，那些人才是公司里的无冕之王。你贸然空降来一个领导，在那边不懂内集团"インナー・サークル"的语言和行事规则就自作主张指挥一气，一定待不久。

我觉得，不管你是美国人、欧洲人还是中国人，这都不重要，重要的是你作为一个国际性的领导人才，在不同的文化元素里面，你自己怎么在游泳中学会游泳，不被淹死。所谓的国际性人才的软实力，无非是到最后看你怎么在不同的文化沙漠里找到出口活下来。很多圈子都是看似开放，实则封闭，当进入那个环境之后，就要看自己的造化了。有很多高层做不满一年就被"圈子"排挤出去了，而且完全不着痕迹，看上去一切都是他个人的问题——这么说起来，的确有点儿像是宫廷戏。

因为日本人非常内敛含蓄，他永远给你很大的面子，即便他不喜欢你，也不会有任何不妥的鲁莽表现。但是他可能会在接到你的委派任务时绕来绕去，说很多理由，但迟迟不执行。抑或你想推行一个事情，他不说好，也不说不好，让你这事儿不知道该如何推行下去，他们就用拖延表示最大的拒绝。

然后，他会拒绝跟你有工作以外的交往，比如你请他去吃寿司，他不去；你请他晚上去喝一杯，他说老婆在家，对不起。还有就是，在讨论所有关键问题的时候，保持缄默不说话……如此这般，你根本耗不过他。

如果身处日本的"外乡"职业经理人发现自己身边的日本人正在用以上类似的方式对待自己的话，那就要千万当心了，说明你被日本的"内集团"排斥了。

我觉得自己负责亚太区业务那几年下来，得到的最大褒奖之一，是当时负责日本业务的CEO，一个日本人，有次会上跟我说，"你来日本吧。"这个是我没想到的。后来我跟他开玩笑，你是因为我长得像日本人吗？他说不是，"你别以为你是亚洲人的脸，其实一看就知道不是日本人。但是我有一种感觉，你能在我们这里做成事，你能处理好我们的人际关系。"他说很多同仁都跟他讲，干脆把亚太的老板请到日本来做事算了，"因为她看起来对我们的文化比较理解，而且她的倾听能力、消化能力、尊重我们的能力，以及提建议的能力，都是我们可以接受的。"虽然我知道这只是他们的感觉或者是客套的恭维，但还是让我开心了好几天。说说我在跟日本的同仁交流和沟通过程中总结到的经验吧：第一，淡化自己的国别背景，你不是一个中国的职业经理人，你是一个亚洲的职业经理人，其实只是这样一种立场的转变，就能带来行为和决策意识的转变；第二，无论你来自哪个国家，你是什么职务，总有些东西放之四海而皆准，就是你要能放下身段去听，在那样一个独特的文化影响下的市场，你的这些同事们面临的压力和挑战是什么，设身处地去为他们着想；第三，要看眼神背后的眼神，听语言背后的语言，不仅仅在会议室里了解他们，还要在酒吧、餐厅和日本人聚会的地方去了解他们，因为只有这个时候，他们是相对放松了，能跟你说些体己话。有一种方式可以验证你是否在日本受到欢迎，比如你发一篇博客，会有好多日本人跑到你的博客去留言，那就说明你在日本的工作之旅成功了一半。

比如，我原来有位老板就工作在日本，他是一位真正的美国大帅哥，长相酷似汤姆·克鲁斯，一句日语都不会说。他当时在日本开了博客，引来粉丝无数，随便拍个照片或者写点儿什么，都有很多人在他后面跟帖盖楼。他跟日本的皇太子去打网球，发了一身白色球衣的照片在博客上，结果公司的一帮小姑娘都快迷疯了——这也是一种交流的方式，既然很清楚自己不可能像亚洲人那样有天然的沟通优势，那就来点儿偶像范儿吧，我们当时日本的青年一代员工特别喜欢他。

然后，最最重要的一条：打入"内集团"的切入点，是找到这个圈子的那个灵魂人物，攻下他，这个圈子就接受你了。通常在这样的圈子里都有一只领头羊，其他人都非常非常尊重他，他在这里有很大的威信，基本上，他才是这个团队里的"隐形皇帝"。他一直在那儿，谁走了他都没走，一直做着他该做的工作。

幸得我在去日本访问之前就做了大量的功课，我会问："谁在那里工作的时间最久？"一个人能在一个部门坐稳十几年二十几年，绝对不是开玩笑的，他会比任何人都了解这个分公司，这摊事儿——通常一般人都不会这样来问问题，但这个问题实则很重要。

问清楚之后，我到日本的第一天晚上就约这位"隐形皇帝"吃饭，了解情况。其实那时候我跟他的级差很大，所以这种见面本身对他来说就是一种信号：我懂你们的规矩，而且尊重你们的规矩。后来我和这个人变成了很好的朋友，他不时会问我，你什么时候来日本，我带你去吃六本木最好吃的乌冬面，我知道你最爱吃那个。其实，只要你有能力把这个人撼动，把这个人打开，那么，你已经掌握了进入日本"内集团"的密匙。

日本人工作里的关系基本上都是工作之外建立的，比如晚上下班后一群人去居酒屋吃饭，这是第一阶段；吃完之后还有一场，喝酒，这是第二阶段；喝完酒有的人还会有第三段的活动，比如去一些歌舞伎的私人俱乐部，或者去唱K。有些人一般只参加第一段的活动，比如我，一般就是吃饭之后就走了。但也有些人会参加到最后一段，基本上到了那一段，就要有一个豁出去的心理底气，知道自己待会儿会被人扛着送回去。如果你是做业务的，比如销售，如果不参加到第三段，基本上在日本你的客户是做不起来的，这一点上，一定要入乡随俗。

印度的圈子DNA：贵族种姓

要明白印度的工作圈子DNA就一定要了解印度的文化，这绝对是伴生关系。

印度到现在还是等级制度，即便在我们这样一个全球化的公司里，你都不能随意任命一个你看好的、非常非常能干、非常非常聪明、业绩特别好，并且在美国受过良好教育的职业经理人去做印度某个部门的主管。但凡你想这么做，就会有印度人提醒你：在印度的贵族血统里，他的姓氏不是位阶第一级的，而是第二三级别的姓氏。而现在这个团队里有两个人，他们的贵族血统比你想任命的这个人要高！

第一次听到这个，我真是又惊讶又好笑又生气，如今都到什么世纪了，你们还在讲这个！可事实上，这就像日本那种"内集团"圈子一样，这就是印度的圈子DNA，你不能打破这个规则。在他们的文化中，种姓制度非常重要，这种制度将人分为四个不同的等级：婆罗门、刹帝利、吠舍和首陀罗。

其中，"婆罗门"即僧侣，为第一种姓，地位最高，从事文化教育和祭祀；"刹帝利"即武士、王公、贵族等，为第二种姓，从事行政管理和打仗；"吠舍"即商人，为第三种姓，从事商业贸易；"首陀罗"即农民，为第四种姓，地位最低，从事农业和各种体力及手工业劳动等——其实这些你都不用记，最简单的一个分辨印度贵族血统的方法：姓氏越短，级别越高。因此，当你看中的人的姓氏比他的下属长的时候，在印度，就会遭到极大的反对，使这个任命不能成行。

所以变成有一年印度的某个岗位我一直找不到合适的人，最后我锁定了一个印度西孟加拉邦人，她很小就跟着父母去了美国，在美国受的教育。基本上，除了她的长相以外，完全是一个美国纽约女人的做派。

我们在讨论任命她的过程中，出现了两派极端的意见分歧。其中一派说，这是一个国际性人才，十几岁来到纽约，现在三十几岁正好回去发光发热，她毕竟是印度那个地方的人，长相什么的也容易被人接受；另外一派说，万万使不得！光是宗教派别就能打起来！她信的是伊斯兰教，大部分印度人信的是印度教，宗教本身就不相容，甚至有很多天然的冲突。而且在印度这个等级社会里，他们绝对不会心甘情愿让一个伊斯兰教的信徒来领导印度教徒，尤其当她的很多下属是印度贵族时这种冲突会更甚！

当时这个争论持续了很久，后来是我坚持，一定要让她去试一试。我觉得，有些规矩需要遵守，但有些规矩就一定要打破，当它的存在会遏制或者阻碍事情往更好的方向发展时，为什么不可以打破试一试？我就说，这个人现在持的是美国护照，她不是本地人，印度的阶层跟她没关系。反过来说，因为这样的潜在问题，对她而言这恰恰是一个很有挑战性的机遇——在一个有着种姓文化和阶层冲突的社会里，她如何彰显她国际范儿的领导力。

我心想，当年在日本我们失败了，派去的人最后选择了离开，但是世界上没有攻不破的墙，尊重不是单边而应该是相互的，尊重不代表要一味地妥协和谦让，就算是DNA，也需要因时而变，要进化！

就好比我在印度曾经做了一件很大胆的事儿，给大家取了昵称。印度人的名字实在是太长了，姓、中间名等等一大长串，但这又是他们最为宝贵的财富之一，我实在怕给他们叫错了，那绝对是对他们极大的不敬。于是我就在一次漫长的会议后跟他们商量说，亲爱的兄弟姐妹们，我们来做一个简单的小游戏好不好，你们在印度，我远在上海，我们有一个半小时的时差，所以我不可能每天看到你们，大多数情况下只能看到你们的照片，所以我想给你们每个人取一个昵称，表示对你们的爱，可不可以？他们说可以。于是我就把他们的名字简化为名字里主要的两个字母，比如PB，这样的称呼他们很能接受，在我离开亚太区后，他们仍然一直沿用到现在。

所以，最终我们还是让这位女生去了印度。于是她就从纽约那么一个繁华的都市到了印度的班加罗尔，她在那儿待了一年左右时间时，我说去看她，她跟我讲："我不要你来。"我问她为什么，她说："我现在挺惨的，我不想让你来看。"然后她的一个好朋友，也是我的下属，去看望她之后回来跟我说："你不能想象，她的房间什么样，那个抽水马桶破到什么程度，她现在过的是一种特殊的生活。可是她自己却铁了心，一定要把印度的事情做好，没有别的选择，哪怕就当作一场修行。"

结果她一直坚持到我自己换了业务线她还在印度，直到公司战略决策变动，她才调回美国。这期间她重整团队，把印度的全球业务和国内业务做了很好的整合，并且促成了公司全球董事会在印度的顺利召开。

现在的她算得上是一个真正的印度人，一个在美国长大的印度人，目前在负责印度相关事务方面是公司一个不可或缺的角色。所以，我深切地体会到一点，在文化的冲突当中，有些东西你是要尊重的；而有些东西你是要摒弃的；还有些东西，你需要不遗余力地去尝试，因为你不尝试，变化就永远不可能发生，这里面，度的拿捏特别重要。

实际上，所谓的全球性人才，到了最后，就是分不清自己是哪里人，从属于哪个国家。如果只供职于大中华区，你会特别明显地知道自己是中国人，会很清楚自己的身份。可是当你负责的是整个亚太乃至全球市场的业务的时候，就会逐渐失去自己的身份符号，同时自身的DNA里多了很多其他国家和地区工作圈子里带来的"脱氧核糖核酸"，形成了新的基因链条，这是一个从找不着北到又找回了北的转换过程。

到了那时，你会感觉自己好像放在哪里都适应，放在哪里也都可以——我觉得这是一种胜利，也是一种成功，因为只有到了这时，你才敢说自己是一个国际性的职业经理人。

建立你的个人品牌

任何花哨和哗众取宠的行为只能带来一时的关注，但远远不能形成品牌。在这个复杂而喧嚣的世界里，除非我们能清晰地表达我们是谁，持什么主张，否则没有人会在意我们。坚持、坚定、坚强，无论企业还是个人，都该如此。

说老实话，我从没有看过任何一本关于个人品牌的书，潜意识里总觉得那样的书应该像兴奋剂，短期内能小宇宙爆发式地提振你的信心，但时间一长身体就会出毛病，因为这些书试图教你做另外一个人。

我们生活在一个忙碌喧嚣而又复杂多变的世界，如果不明白自己应该如何清晰地表达自己的本色和主张，就没有人会理睬你，也没有人会注意你。可是，如何才能更好地做自己，或者说，如何才能做更好的自己呢？

我的工作是为企业做品牌建设，每天从事的工作很具有挑战性，担任的是一个既非常吓人，又非常昂贵的工作，因为我被任命管理一家具有 600 多亿美元品牌价值的公司的中国营销部门。这十几年下来，我发现在品牌经营中有一些非常基本的东西，不仅与"企业"相关，其实也可以跟"个人"有关。比如我们可以从四个关于企业品牌的基本问题中看到个体建立个人品牌的精髓——我发现这些问题好比一颗强大的心灵指南针，能引领我走上属于自己的个人价值之路。

第一个问题，你的恒久信念是什么？

先想想看一家企业的恒久信念是什么。以我所在的公司为例，它在 2011 年 6 月 16 日度过了百岁生日，作为全球唯一一家历经百年风雨，依然还是茁壮蓬勃的高科技企业，我们最自豪的是公司的核心价值一直没有改变——我们忠于并且坚信我们的信念，也正是这个信念延续了公司的百年传奇——"引领进步"就是我们的恒久信念。

它为持续的革新带来动力，为世界带来发明创造，带来思考和声音。不论是公司帮宇航局做登月任务，比如 1969 年的阿波罗 13 号上就有我们的贡献；还是 1981 年发明了个人电脑，它甚至可以说是重启了整个世界；还有它在 1993 年创造了"电子商务"的概念，改变了商业世界的法则——它引领的这些进步，成为我们坚守百年的信念。

回到个人身上来，我之前读到过一篇对罗睿兰（Virginia Rometty）的访问，她是公司历史上的第一位女性CEO，是我们的骄傲。在这篇专访中，让我感触最深的是她的一句话，"问我相信什么，如果你对信念十分清楚，它就是你开拓市场的基石。那么你相信什么？作为企业领导人我只相信卓越。"我也在追求卓越，从小就是这样，做任何事都要争第一，不管是演讲比赛还是考试，还是芭蕾比赛，如果你总是追求卓越，就会希望自己越做越好，这是重要的先决条件，这样你才能把机遇发挥到淋漓尽致，来争取卓越，并且保持优异的表现。对我个人而言，"追求卓越"就是我的恒久信念。

但有时你很难做到卓越，如果你并不喜欢这件事——记得英国散文作家兼评论家威廉·哈兹里特（William Hzalitt）曾经说过，"天才的人从来不是在他身处的行业做到极致，他们入行只是因为他们做到了极致"，所以只有享受自己的工作，才能做到最好。所以我总认为，只要拿出全部的力量，投入全部身心、热情，以及智慧，不论做任何工作，都有机会做到卓越，也就一定可以从中体会到满足感，这是我的理论。找到自己的恒久信念，这不仅是企业品牌建设的基础，也是个人品牌建设的基础。

第二个问题，是什么让你与众不同？

这个问题可以归结到个性。早些时候我跟人聊到苹果，它已经成为家喻户晓的品牌。如果想象苹果品牌是一个人，你会怎么描述这个人的特点？我看过一张1996年的苹果广告，叫作"非同凡想"，那则广告大意是说："致所有发疯的、叛逆的、不安分的、想法与众不同的人，有人觉得他们是疯子，我们认为是天才，正是那些自以为能改变世界的疯子，最终改变了世界"。千万别误会，我不是要让大家靠发疯来发展个性，来做到与众不同。

我讲的是品德，品德和名声有什么区别？名声是别人眼中的你，品德是真正的你，你的本色。人无完人，但你是独一份，每个单独的个体都是特别的。所以，接受真实的自己，喜欢自己，为自己而骄傲，这其中自然就有了自己的"与众不同"。

对我来说，身为一个女性，在商界和科技界工作到今天，本身就已经很特别。因为商界女性的比例，越往高处看，女性比例越少，尽管这个数据现在已经有所改观，但是女性在商界的潜力还有待挖掘。

有些女权主义者认为，女人按照男人定的规则来谋生是不可能成功的，我不同意。看看最近的榜单，在商界最显赫的50位女性中，你会发现许多位是在传统科技公司任职。譬如，农业方面有全球最大的粮食加工商ADM的首席财务官帕特丽夏·沃尔茨（Patricia Woertz）；化工方面有杜邦集团的首席执行官艾伦·库尔曼（Ellen Kullman）；IT方面有IBM的罗睿兰……这样的例子还有很多，最近我看了一份麦肯锡报告，报告说阻碍女性发展的最大障碍，是女性头脑里固有的思维定势。必须承认，有时候思维定势的影响非常强大，它能影响你的事业，你的生活。

但那都是别人的定势，不是你的意识。我怎么看待职业女性？接受自己有所不同，我跟男性有着不一样的思路，达成目的的方法不一样，我的领导特性也不一样。但是，我能找到自己内在的特性，并以此创造价值，为企业的成功做出贡献，同时也发展了自己的事业。

关于与众不同还有最后一点，个性会随着岁月成长，这我们都知道，这种成长不是白来的。成长和安逸不能共存，得先有抱负，然后通过努力、痛苦和磨难，才能在人生中打造出自己的个性。

第三个问题，你为谁服务？

这里讲的不是服从，我讲的是生态系统。每一个品牌，无论是企业品牌还是个人品牌，都要在一个生态系统里生活、呼吸，跟思维相近的人一起，组成一个社群，这非常重要。

从企业角度来看，我供职的公司认为它是为前瞻者服务的，因为我们相信创新进步的人，能把世界变得更好；另一个我想说迪士尼，相信很多人去过迪士尼乐园，或者看过迪士尼的电影，那迪士尼为谁服务？它为有一颗童心的人服务。

迪士尼的创始人沃尔特·迪士尼（Walt Disney）说过，"我做电影主要不是为了小孩，我创造电影和主题公园，是为了人们躯体里的那个小孩，或者童真，不管他的实际年龄是六岁还是六十岁"。所以说世界是不会被单个人改变的，是当这些有共同信念、愿景和目标的人，聚集在一起，建立长期的人脉和关系，从中所产生出的知识、新的洞见和勇气，从而给这个世界带来更广泛更深入的变化。

给自己拥有的关系列一个名单，把个人生活和职业生涯里的关系都囊括其中，你会发现，对你非常重要的人际关系，不超过 10 个人。对我来说大概有八九个对我非常重要的人，因为这些人会支持你，他们理解你，欣赏你，启发你，在你有难的时候为你排难，在你受伤后给你疗伤。

仔细想想你列的名单，因为我最早列这张单子的时候，没有把自己列进去，后来我发现，这样怎么能照顾到别人呢？如果连自己都觉得自己不重要，谁又会觉得我重要呢？

于是我加上自己，才发现我首先要善待自己。因为身为女人，我们肩负着太多的角色，我们忙得团团转，迷失在无休止的任务里。我们都应该自问一声，上次跟老公或男朋友散步是什么时候？你已经多久没有读一本休闲的书？

拿我自己来说，我是一个十六岁孩子的母亲；我还是一位十年来一直在生病的七十八岁母亲的女儿；我还是一对伟大公公婆婆的儿媳；一个电视人的妻子，他总是出差；我还是一家跨国企业的市场和企宣部门的高管……一眼看去，这些角色似乎互不相容，但我要把这所有的角色"全部勾选"，不会放弃其中任何一个角色和责任，我周围的这些关系，才让我成为一个完整的我。

所以，用心关注这张清单上列出的这八九个人，他们是你第一要服务的对象，他们帮助你保持专注，值得你为其付出最大的精力和时间。

第四个问题，如何实现你个人能带给别人的品牌体验？

"苹果之父"乔布斯说过，"我们的工作，就是为整体的使用体验而负责。"实际上，对乔布斯来说，用户体验就是一切。他们制造一流的产品，他们为人们创造了一流的使用体验，惠及亿万人。

回到个人层面上来，问问自己，在之前提到的那些感触点上，给了人什么体验？想想你最爱的餐厅，每次去那里，你期待得到同样的品质，包括服务和菜品，如果品质不好，你会很失望——人也是这样，关于给别人的体验这件事，一定要前后一致，保持本真。

我跟自己的"生态系统"互动时，总是保持大方和诚恳，言行一致，这点非常重要。甚至，我在"微博"上也在履行我的这部分职责，用 140 个字对世界发出讯息，我喜欢这项练习，因为它不带任何自我营销之类的目的，但它的结果是当你表达观点和理念时，你的本真会通过这短短 140 个字传达给许多人，你实际上影响了那些陌生人对你的看法。

我愿意在这本书里跟大家分享两张我很私人的照片，第一张照片是在 16 岁时拍的，这是我赢得演讲比赛一等奖的那一次，跟爸爸的学生借了粉色毛衣拍的照片。当时我没有粉色毛衣，但我希望在拍纪念照的时候，打扮得最漂亮，呈现出最好的状态。第二张照片里的是 30 年后的我，这身衣服仍然是借的，目的是为了给某杂志拍一张照片——我还是希望打扮得很漂亮，状态最好，不管在什么地点。

我说这个的重点不在于要你对抗年纪，对抗岁月，而是说，在人生的任何时段都应努力去表达出最佳的自己，因为这会慢慢提炼出一个真实的、持续不断更新着的、拥有正循环状态的你，不管你是做什么的，不管你多少岁，每时每刻都应该努力去表达、展现自己的最佳状态。

　　林肯有句话点明了品牌的全部含义。他说，"品德就像树，名声就像影子。"影子是我们对树的看法，树本身才是真实的东西。我们时常纠结于影子的美丽，即名声，却忘掉了那棵树，因为这才是构成个人品牌的东西，这是真正重要的。

箭在弦上，引而不发

我觉得如果能把中国的《孙子兵法》和儒家思想运用得当的话，在外企工作就拥有了一件利器，尤其当你在一个国外的环境中工作的时候，简直无往不利。

我有一个很好的忘年交在美国纽约电力公司做总监，她把中国传统文化，包括周易、八卦什么的都研究透了，跟美国人打太极简直打到极致。在美国工作的那段时间，她与我分享了很多东西，其中有一条我深得其益，那就是：箭在弦上，引而不发。

她说当你遇到一个情境，你身处其中觉得特别委屈，或者认为自己应该有所"反击"的时候，其实你的箭已经搭在弦上了，但是越到这种时候，越是要忍而不发——重点是，要让对方感觉到你的"忍"，而不是"怂"，你随时可以发出那只箭，这种效果才是最棒的。

听君一席话，胜读十年书。之后遇事我有好几次都忍住了没发，事后证明我忍住了没有以"箭"相向是对的，他们会很欣赏你这种东方文化，等回过味来之后，知道你这种做法不是弱者的表现，而是智者的行为，会因此变得更加尊重你，觉得你很厉害——反倒这种东方哲学在同胞身上的作用不大，但到了国外，尤其是美国，用中国文化深层次的智慧去跟对方"切磋"，收效颇丰。

我觉得一个中国人如果能把《孙子兵法》和传统的儒家思想运用得当的话，在美国的职场环境中工作就拥有了一件利器。

举个例子，我曾经被公司外派到美国工作了一段时间，那时我实际上是同时在做两份工。其中一份工作是被具体指派到了公司软件部下面一个具体的细分部门——软件部下面有一百多个品牌，当时其中一个品牌的传播部的总监休产假了，虽然就几个月，但真的交给我的是一个确确实实的"萝卜坑"，我在美国工作的那四个月是要去"填坑"的，要跟十来个来自全世界各个地方的人一起推进部门的具体工作。

我还记得刚到的时候，那个要休产假的女生一个劲儿安慰我："别担心，虽然整个摊子都扔给你了，但是他们也知道你不会在这里待太久，公司以后会对你另有安排，所以都会尽量按规矩处理事务，不会让你太辛苦。这个团队我带到今天，都还不错，他们也知道自己未来几个月的工作重点在哪里，你就利用你的国际经验和来自新兴市场的经验给他们一些指导和点拨就可以了。"说起来好像是这么回事，但实际做起事来又不一样。她的话最多适用了三个星期。三个星期后，很多工作中新的事件爆发出来，有很多不确定的因素和很多不相干的人都冒了出来，这时你根本无法控制，什么是你该管的，什么是你不该管的，一切变得特别真实，你所有的问题都要去处理，所有的例会你都要去做汇报，全部进入了实战阶段，根本不像最初预想的那么理想化。

除此之外，我的另一份工作是在总部做一些全球性的事务，总部想近距离地考察我，看看全球董事长的项目我会不会处理和应对；看看我如何与比我年龄长、在公司比我资深，也比我更有经验的人一起工作，而我不仅要融入他们，而且要管理好他们。

这好比一个水与火的洗礼，每次到软件部工作的时候，我就觉得自己像一个牛仔，因为那个地方不用穿西装，可以穿牛仔裤，穿得很随意，因为你是要去撸起袖子打仗的。跟他们工作很有意思，大家做事都很西部化，你就是说错话得罪人也没关系，都不介意；等你回到总部，那边就像一个安静的图书馆，每个人走路都轻轻的，大家都西装革履，穿得非常考究，非常有礼貌，不许胡说八道，开会的时候要特别谨慎，打交道的都是上了点儿年纪的人，随便一个出来都是全球顶尖的智囊，都那么沉稳内敛，于是我在那里就变得特别老实，特别淑女。

我是双子座，我觉得这个星座本身的分裂和多变的特性真是帮到我，因为这两份工作把我性格里沉稳和活泼的两面性都平衡到了——今天要去软件部，我就洒脱不羁的带着便当去骁勇善战；明天要去总部，我就收一收，捯饬一番去做个沉稳谦和睿智的淑女，一面牛仔一面淑女，这两面都是很真实的我。同时这"两面"面对的也都是很真实的公司，一面是作战一线的生龙活虎，一面是指挥中心的稳健深沉。当然除此之外，我还要在两个时空里切换，除了美国时空外，我每天晚上还要跟中国的同事开会，谈工作。

在这样的工作环境下，我自然会遇到很多状况。比如软件部这块工作，其实都是日常流水的工作安排和细节，但考验也恰恰在此。在这种没有什么特别大的事情和活动要处理的"和平时期"，你怎么去领导一支尚属陌生的"完全美国"的团队。说实话，美国人的团队事儿多死了，那些专业技能的东西学起来还好，很快就学会了，但管理这支队伍不容易，几乎变成了我在那几个月里学习的最主要的一个科目。

因为这里面每个人都特别有个性，都很自我，每个人都认为他自己是最棒的，尤其到了年底业绩评估的时候，对话非常艰难，你要跟他沟通为什么给他打了这样的绩效分，理由是一二三，这当中他可以反驳可以反对甚至可以上诉你，我还有几个员工在别的州工作，需要通过电话来进行这样一种沟通，看不见对方的表情，这个过程很不容易。

在这种情况下怎样一点点开展工作呢？

当然不是一来就要弄到"箭在弦上"的地步。我的方法是先试着去了解他们，美国人在管理上并不很重视这一点，大家彼此比较隔阂，私人空间的保护意识特别强，强到有点儿"敬而远之"的地步。而我恰恰认为这是一个切入点，我虽然同样尊重他们的私人空间，但只要是人，无论是什么地方的人，都是需要被关怀、注意和倾听的，这是人性共同的特点。

所以我在那几个月里，用我惯常管理人的方法去跟他们交朋友，请他们吃午饭，聊天，花了不少钱，当然他们有时也会邀请我。这里面有几个女孩儿住在纽约市区，我也是很喜欢热闹和时尚的人，她们很喜欢我的穿衣打扮，所以周末我们就约在一块到百老汇看音乐剧，去购物中心买东西，渐渐地跟她们打成了一片，我也在这个过程里去尽量了解每一个人。这是第一步，从了解人开始了解他们的工作风格、禀赋、需求、态度。

比如，A是问一句答一句的类型；B是说什么事儿恨不得跟你掏心窝的主儿；C说话很喜欢用嘲讽的方式……包括跟总部的人相处也是这样，我就观察他们每一个人，这个时候做个旁观者特别重要，我头几个星期完全不发表意见，就听，把他们了解个"底儿掉"，我就想我是代表中国来到这里，我这么多的员工、同事，包括董事长都对我寄予厚望，我不能辜负他们。反正一个人在纽约，也没什么事，我就把自己的业余时间都贡献出来去了解他们好了。

只有如此，你才能在遇到问题的时候，知道要把哪支箭搭在弦上最有效。我觉得这是很重要的一个能力，你要能读懂他们的心思，在运用哪些战略和战术之前，你要先去了解他们。并且要有个心理预期，你不是一来就能够驾驭管理这群人，一定会有一个被他们打得昏天黑地的时期，你会痛哭，会哀怨自己怎么会被"打"成这个样子。但你自己心里要清楚，这是因为你不了解他们，所以第一步一定是去建立关系，知彼知己。

然后，到了需要"亮箭"的阶段，你才知道要如何拿捏坚持和妥协之间的分寸。

我认为从本质上来说，美国人是进攻型的，他们在竞争型的文化里长大，所以"以攻为守"是他们很常用的方式。但是中国人往往是"以守为攻"，不太会主动出击，所以你可能会发现，如果在做具体项目的过程中，你表现的一直在"守"的话，对方会一步步"得陇望蜀"，让你退无可退。

所以在这个过程中，你怎么运用中国传统的智慧和战术，让对方不失体面地退回他原本该在的位置，这就是"引而不发跃如也"的本事。

比如在跟软件部的团队进行具体工作时，要认清一点，你不是美国人，这个团队也不是你的"孩子"，不是你一手带大的，这些人与你是没有归属感的，他们知道你到时候就会走。所以当中有的人也很滑头，觉得在前面一个老板和你之间，他可以做点什么事，让你给他的年底评估分数好一点——人都很聪明，觉得既然现在前上司休产假了，那年终的业绩评估肯定是Gill来做，而她对我前面这段时间的表现并不了解，所以我利用这段时间跟她攻攻关……什么样的人都有，而这些都是你要大雪无痕"引而不发"处理好的事情。

在美国，"协作"这个词自有它的真意，不像在亚洲，大家都会尊重一个"老板"的概念，还有层级的长幼尊卑感，在美国这种感觉不是那么强。你老板怎么了，我照样挑战你，你只是一个搭档，我不认为你是老板就能把我怎么样，所以在那种环境中，真正要做的一件事情就是"协作"，任何意义上的协作。你要去说服每一个人，说我们要一起来做这件事，这么做，对你、对我、对组织都好。

而且这种协作是建立在非常理性的判断和思考的前提下的。如果当美国人来跟你"邀功"，说自己做了什么，做得怎么好，中国人出于客气，总会夸赞两句，这个做得很好"You are great"，那个很好"Good job"，但是这样的方式用一次可以，两次可以，三次以后他会认为你这个老板是个草包——如果在他彰显自己成绩的时候你只是一味地表扬，他便不认为你有真才实学，这就是美国的文化。如果你不能去挑战他，不能说你这个事儿这么思考是不对的，理由是一二三，你需要换个角度来考虑一下这个问题，我的建议是一二三，如果你做不到这个，不能提出一些更高视点、更有道理的看法，他便会轻视你，然后就开始得寸进尺，"你认为我很好，那你干吗不给我这个，不给我那个？"

他们是一步步铺垫好的，如果你在这个沟通的过程中，一直表现得很认可他，同时你也提不出什么具体的建议来，他就会认为你也没什么水平。而且你现在既然是我的老板，就应该给我机会，让我得到应得的薪酬、职位和职业发展，这就是美国人的进攻型文化。

所以，遇到问题，我常常将箭引而不发，然后"后发制人"。很简单，先把对方要说的话认真听清楚，很多美国人做不到这一点，他们觉得自己很智慧，上来就要滔滔不绝告诉你解决方法是什么，急不可待要表现自己的观点。既然他们愿意说，那我就好好听。我往往是个发问的人，我问你问题，给你机会让你说，你会发现，问到一定程度，他们的眼神就开始发散和飘移，说话也开始支支吾吾，直到这时，你再说自己想说的内容："我认为这件事情，你是不是可以这样来考虑……"一旦你掌握了所有对方要表达的信息之后，你所说出来的话威力巨大，而且特别对症下药，让对方辩无可辩。这样来回几次之后，对方会彻底对你心悦诚服，认为你非常睿智，同时非常专业，并且，非常有领导力。

当然，只是听还不够，还要会"协作"。要逼着自己尽快利用你所有的资源和过去的经验来弄明白他们在做什么，你不可能在专业分工上像他们那样了解得那么精深，但你可以看到总揽全局的东西，你参与的很多会议是他们不能参与的，听到的很多观点是他们听不到的，并且你还有宝贵的国际经验，这都是核心竞争力——我当时做了一件事情，就是把他们的一些项目跟中国的团队联动起来，这一点是他们特别感激我的部分。而且我给了他们一个很有成就感的由头：中国的团队在这个领域做得还不够（的确有待加强），请他们做远程辅导（这可是邀功说业绩的好机会）。同时，他们一直苦于打不开中国市场，我就用这样的方式把他们的渠道都打通了，这就是真正意义上的"协作"和"双赢"。

除此之外，还有一点也是我的"杀手锏"，就是他们设计的很多方案因为是在总部层面上做的设计，难免在落地环节会出问题，我就会经常提醒他们：你这个想法很好，但是落不了地，接不上地气，至少从中国的角度出发，我告诉你不能落地的理由是一二三……全球 173 个国家，如何把想法跟当地的投资环境、合作伙伴的关系、渠道、政策，所有这些东西对上号，我认为还需要考虑到以下几个方面……你会看到他们一下子对你肃然起敬。

当然，就算如此，你还是可能会遇到那么一两个"刺儿头"。有时，年长的资深人士身上难免有一种"骄恃"，尤其当你需要管理这样的人时，他的确会在言谈举止间让你有些不舒服的地方。的确，他们比你年资更久，并且在专业领域比你更资深，所以他为什么要"服你管"？

遇到这种人，要跟他一起工作，彼此的尊重和创造机会很重要，你一定要尊重他，并且这种尊重要让对方充分感觉到，包括对他专业的尊重，对他文化的尊重，以及对他人格和个性的尊重，都要体现出来。

比如出于对他文化的尊重，你有些话和用词就不能这么说，得换个说法；出于对他专业的尊重，当你了解到这个人是某方面的专家，但是在有些方面比较弱的时候，你就不能从他弱的方面去攻击他，而是要从他强的方面给他机会，让他发挥，这样他就会特别开心，觉得你很认可他，并且懂得他。

我当时遇到一个人，是我"填坑"部门隔壁部门的一个老员工，50多岁，她不是我的直接下属，在软件部待了很多年也没提拔上去，我刚去就有人提醒我，要特别当心这个人，"她很爱告状，而且特别事儿。"

刚去没多久，我就发现，她的确什么事儿都喜欢来插一杠子，自己碗里的不看，非要来看着你碗里的，一会儿来说你手底下的人怎么怎么着了；一会儿又凭着老资格，把与她无关的事情，直接写封邮件汇报到总部，每每就像一根绣花针一样，在不经意间扎你一下。我下面的人就特别看不惯，说Gill你应该反击，应该怎么怎么做……大家都很讨厌她，两个部门之间的关系也很紧张，有了"过结"。

后来我就想，与其让她动不动就拿个针来扎我一下，不如我进攻。我进

◄ 我首次访问台湾，
参加公司BCS的活动。
台湾公关部一水儿的女生。

▼ 今年过生日时同事好友一起相聚，
男生在一旁欣赏呢！

BLOOM

在蓝色港湾一个风景如画的带着阳台的餐厅
和这群同事朋友们相聚，
一个小小的庆生会。感慨良多。

▲ 我在公司服务10年了。
同事们特意来我家为我祝贺。
那天我选择吃海底捞。
过瘾！

▼ 2012年9月在深圳访问全球第一大高尔夫
球场–观澜湖 "Mission Hill" 的CIO和他
的团队。

BLOOM

▲ 我和先生
在夏威夷冬日的阳光里。

▲ 我和儿子炮炮在圣迭戈。

▶ 炮炮长大了，我们老了。

他已经是16岁的小王子，我心中永远的爱。
他16岁生日那天，
在回家路上，我很内疚。
因为我missed掉了和他一起吃生日晚餐的机会。
他电话里没有嗔怪，
只说妈妈快回家，切蛋糕。
大了懂事了。

▶ 我和先生。

BLOOM

▼ 今天儿子和我都去剪了头发，于是有了借口和他拍下这张照片。都说这个年龄的孩子极不愿意拍照，这回算给老妈面子了。

我曾拿这张照片作为配图发了一条微博："朋友送我一种餐后酒，叫Grappa. 据说能助消化。今天儿子有点积食胃不舒服，我就倒了一小杯Grappa给他，但警告他只能喝几口。谁知我们从外面回来，发现一只空空的杯了和一个小有醉意的英俊少年。他全喝了！他脸上挂着一丝罕见的儿时才有的笑容，双手飞快地敲击键盘，写着托福作文。罪过呵！"

▲ 儿子是妈妈永远的情人。 BLOOM

◀ 我和好友 Helen Yang,
　是她教我如何"箭在弦上，引而不发。"

◀ 2011年中国电商人会,
　我在介绍公司在社交媒体时代的品牌战略。

◀ 2005年给《职场》创刊号做"封面女郎"。
编辑要我戴上这幅拳击手套，
说这样看上去拉风。

BLOOM

▶ 2012年5月应邀出席《远见》《东方企业
家》在上海举办的华人领袖峰会，分享公司
在CSR领域的创新和实践。

攻什么呢？进攻她的优势，让她的优势与我的需求得以很好地"协作"——她写东西特别棒，帮公司大老板写了很多署名文章，并且只要是她投稿，基本上美国最重要的 IT 媒体一定会发，在这方面她是一个很有内容的人。另外，公司每个季度的投资者大会她都有资格去旁听，并且她能够把投资者对于公司的很多方向性、战略性的东西记录下来，在 24 小时内消化，厘清那些信息并做出分析，很职业地与我们做分享，我发现这两个是她最大的优势。

于是，我就同她讲，既然你写东西这么棒，我给你两个徒弟你带带行不行？我说我中国的团队里面有些人这方面的能力不行，我想请你做一做他们跨国的洋导师行不行？她当然很高兴地说好啊好啊，这些人都想要业绩，一听说中国的团队让她来做跨洋辅导，给他们上课和培训，她高兴死了。我的中国团队也很高兴，因为的确可以学到东西嘛。比如高层的署名文章怎么写，怎么给软件做解决方案……她做了好几次讲座，反馈特别好。我呢，立刻把这个好收效让她的老板知道，相当于帮她坐实了业绩，她一下子变得跟我亲热许多许多，而且觉得我利用新兴市场的一个平台把她对于全球的价值传递出去了，她特别有成就感。

然后，我做了第二件事。她每次拿回来的那些投资者大会的信息我都让她给我们开个讲座讲一讲，我就跟当时软件部的大老板说，她做的这些事情有什么样的价值，作为我们整个软件部下面的一个负责传播市场的团队，不能做一只井底蛙，只看自己线上那一亩三分地的信息，应该听听投资者对整个软件部一百多个产品的解决方案的整体反馈。所以应该把她利用起来，投资者大会她在现场，听到的东西都代表未来，代表市场走向，对我们的战略决策有很大帮助，应该让每位主管都去听听她的讲座，这的确很有价值。软件部的头儿很认同这个建议，他说的确也该让她发挥点作用。

就这样，这位爱挑刺儿的三天两头不来上班的老太太一下子焕发了自己的"价值第二春"，要知道，她是一个快退休的女人，她觉得自己对公司的价值和影响力都越来越低，没有年轻人再听她讲话，一切都已经是明日黄花。但我这个建议让她一下子备受关注，她从此变成了我的铁杆儿支持者，一切不攻自破，哪里还会来我的部门挑刺儿？

最后，她信任我到什么程度？当年年底的业绩考核，本来不应该我给她提，因为我不是她的老板，但她说，Gill，你能不能对我这一年的工作表现，尤其是你来的这一段时间我的业绩情况给我的老板写一个东西，告诉他我都做了什么，反馈是什么，好的坏的都行，我很尊重你的意见。我说没问题。

那年她的业绩特别好，因为我让她做成了这么多年来她想都没敢想过的几件事，直到后来我回到中国她还在一直给我写信。我听别人跟我说，她跟别人讲我"非常智慧，而且是东方人的智慧，你们是猜不透她的。别看她刚来时好像对谁都微笑，对谁都温柔，但其实她心底特别清楚她在做什么，她要做什么，这个女人很了不起。"

这就是我的哲学，以柔克刚，要善于发现你的"敌人"的优点，并且在你也能赢的前提下帮他发挥优势，因为如果是硬碰硬的话，结果只会把彼此都打到死胡同里去——如果你一开始就定位这是一场要有流血牺牲才会赢的战争，那最后就肯定会有人要流血，肯定会有人要牺牲；但如果你一开始就定位这是一场为了争取和平而打响的战役，那很可能你就赢了天下，并且兵不血刃。

"箭在弦上，引而不发"，我就用类似的中国古典智慧，赢得了公司总部的人对我的尊重和信任，以及他们对我的友情。

管理期望值

管理期望值的最大秘诀，就是不要给对方"吃惊的瞬间"，一定不能让他感觉到"突如其来"。这是东西方文化碰撞下的、在多元文化环境中工作的一个职场大忌。

在与西方人的工作和交流中，有一点是非常值得重视的，就是要知道如何管理对方的期望值。

管理期望值的最大秘诀，就是不要给对方"吃惊的瞬间"。一定不能让他感觉到"突如其来"，这是东西方文化碰撞下的，在多元文化环境中工作的一个职场大忌。

我觉得在很多西方人眼中对中国人已经有了这么一种"定势"，他们对我们的看法是：易变，说话做事弹性太大，并且非常习惯"把变化当作计划的一部分"来对待。尽管西方人也同意，中国正处在一个高速发展的阶段，一个快速成长的市场自然会有很多变化，因此任何一件事情在执行过程中都可能生出新的枝丫，这是可以理解并接受的，不是问题。

但他们不能容忍的是，自己是到了最后一分钟才知道"事情发生了重要的变化"的人，他会认为你打了他一个"措手不及"，这才是西方人非常忌讳的部分。他们很注重规矩和约定，大家会很老实地按照已经商定好了的内容去推进，一旦推进并非商定，或者有了变化他不知情，他们会非常不高兴。

所以，"东西方共事"中，"管理期望值"的根本，是要"让对方不需要期望"。

与其让他天天拿根鞭子跟在身后，不如把他变成"同伙儿"，同舟共济。也就是说，在事情刚有了变化的端倪时就把他拽进来，立即拉进来打预防针，让他知道事情可能会有变化。比如告诉对方，"我不敢说是不是一定会发生，但觉得有这个可能，所以就第一时间找了你，咱俩一块儿商量商量"。

他会不自觉地就成了你的"共谋"，然后就有了主人翁精神，他也会想，"我也在这条船上，不是站在岸上旁观的人，所以我的重点要放在一起想办法怎么解决问题这个层面，而不是去询问对方怎么会发生这种预期之外的状况"。这么做的好处是，一来，你多了一个高参，的确可以协助你一起解决一些问题；二来，他认为你对他非常尊重，他很高兴。

由此，你会发现事情相对变简单了，把对方拽进来后，不用你主动诉苦，他也会慢慢明白原来这件事处理起来有这么多的"难"——尤其是面对上司时，通常大家会认为级别那么高的人，不能什么鸡毛蒜皮都跟他说，这是对的。但不是"什么都不跟他说"，所以这里面得有一个权衡和分寸的拿捏。

你别一天到晚向老板描绘一个玫瑰色的图景，这个单子能拿到五百万，绝对没问题！然后等到最后，该拿回合同了，却突然啪的一下黄了，这中间没有任何缓冲和伏笔，当然会让人接受不了，尤其是西方人，他估计会一下子就把对你的信任值降到负数！所以，管理期望值很重要，也很简单，就是管理好对一件事情的趋势判断，然后在这个过程中确定好你和谁是一条船的，以及让这条船上的人随时知晓当下的坐标和要到达的口岸。

拿危机公关来说。假如某天你发现一个名不见经传的小媒体故意歪曲报道了一件公司的"小破事"，文章里负面信息大肆渲染——这也算是个预料之外的"危机公关"吧，但这件事你要不要跟总部的上司汇报？

我的意见是不用。一来，这种肆意歪解的文章基本没什么杀伤力，大众眼明心亮，即便看见也是看过就过了，不用特别在意，保持低调的关注即可；二来，如果向海外总部汇报，其实是给自己和对方没事找事，依照西方人的工作习惯，他们一定会让你把原文、传播路径、受众反应……全部翻译出来，包括你怎么看待这个问题，要如何处理……费事耗力弄一大堆，实际等对方看到这个报告时，事情早就已经结束了。

但如果涉及一些很敏感的问题，比如外资企业可能会发生的一些公关危机话题：员工劳资纠纷、超国民待遇等问题的时候，就不能自己做主，哪怕是芝麻绿豆大的小事，都一定要汇报，让相关人知道。

值得一提的是，"打预防针"也有技巧。比方说你要告诉对方一个惊人的消息，一件很重要的事情在过去的12个小时里发生了逆转性的变化。这种时候，面对习惯遵守既定计划，并以此预期结果的西方人来说，你要如何跟对方说这件事？

关键是，根本连自己都完全没有预料到会有这样的情况发生，身为当事人的你尚且需要时间消化，何况他还远隔重洋，所以如果不讲究策略，贸然说结果，一方面，容易让他对你产生信任危机；另一方面，你毕竟还是中国人，你不愿意在这种时候被对方认为这里的环境"不靠谱"，并因此看轻我们的文化，所以这种时候去做类似的沟通时，真的既要检讨，又要检讨得有尊严。

　　你要告诉他"出事儿了"，让他精神上"打个激灵"，瞬时集中注意力，然后用最精炼简短的新闻语言，所谓的"新闻五要素'5W'"来告诉对方，发生了什么事（What），谁被牵连到这个事件之中（Who），这个事件是什么时候发生的（When），是在什么地方发生的（Where），为什么发生这个事件（Why），把这个事情描述完。

　　描述清楚之后，明显可以想象他的下一个问题是"你为什么没有预测到会有这样的结果，为什么十二小时前还在信誓旦旦地说事情会朝着如何如何好的方向发展？"，你很清楚他会问你这个，所以这个环节一定要认真准备——除非你面对的真的是极端情况，足以一句话就能获得对方的认同，打消他的质疑。比如这件事不是对方想改主意，而是对方也无能为力——打个特别不靠谱的比方，比如，因为"连对方自己也不知道，六个小时前，他会被有关部门请去协助调查。"

　　但如果不是这种"天上掉馅饼砸了脑袋"的情况，你就需要特别坦诚地表明态度，确实是我的预估出了点儿问题，为什么我当时做的是这样的判断，原因是因为一二三。不过如果只到这里就戛然而止肯定不行，你得让对方做一个选择题——要告诉他，目前的应对和解决方案有A、B、C三种，各自有什么可行性和优势，同时，哪个方案执行的结果跟原定计划的预期相比最接近，你要让他知道你是有备而来。

　　你可以想象对方在电话那头听到这些时的表情：首先是听到变数，对你有点不满意，但你紧跟着进行了自我检讨和情况分析，说明你至少能够看清目前的状态和自己的能力。紧接着你又给出了几种解决方案来力图扭转局面，这说明你有思考，也做了很多调查，并且懂得如何防范危机，你Hold住了——整个汇报过程由波峰到波谷，再到波峰，这是一个微笑的曲线表情，所以，当你汇报完，听者其实最后是很欣慰的。

我站在东西方的门槛上工作了那么多年，碰到过不少类似的问题，通常就是用以上两种方法来解决。总结下来就是：第一种，极端情况，如果他问你原因，你就用半诙谐的谈笑口气说出理由就好，对方听到那样的原因，他也会哈哈一笑，觉得如果这种情况下还问为何不能预测之类的问题实在太蠢；第二种情况，属于判断失误，这时一定要表达清楚几个重点，首先，的确自己的预测出了问题，过于乐观；其次，吸取到的经验和教训是什么，并且可以在这次事件里即刻改正的部分是什么；第三，想好解决办法。基本上，能做到这几步，也就可以管理好对方的期望值了。

值得注意的是，管理期望值这件事，一方面跟管理好"信息不对称"，别让对方"突然受惊"有关；另一方面，还跟管理别人对自己的"预期分数"有关，只有这方面管理好，才能做到"超越期望值"。

就是说，把对方的期望值按在你完全有把握的那条标准线上，然后尽量把事情做得更好，这样，多出基准线的，就是你超越他期望的部分。你要让对方看到你的表现，但是绝对不能在承诺里写出来——这就好比，你的正常表现是八十分，超常发挥时是九十五分，但是你在跟对方报告时不是说你能做到八十分，而是说"你努力做到九十五分"，即便你最后做到了九十分，高高超过你平时的发挥水准，但是对对方而言，你仍然没有达到他的期望值，因为他收到的信息是你说努力到"九十五分"。所以，给对方的承诺基准线要找准，这点很重要。

国人遇事喜欢报喜不报忧，其实在工作场合，尤其是在跟西方人一起工作的过程中，这是一种并不好的习惯——永远只说好的，说得天花乱坠，或者总把事情往自己超常发挥才能达到的分数上靠，然后要么达不到，总在汇报时试图把不好的部分捂起来，要么就是累死累活才勉强合格，不能够做到超越期望。

　　这种做事方法从根上就需要拧一拧，就像西方人，他们在这方面往往是倒过来的，说目标的时候偏保守，严格按照自己正常发挥可以达到的能力分数线来制定目标；同时，分析问题时，喜事稍微说一说，差不多就行了，反而是当中需要防微杜渐的部分或者小忧虑会说得很细，特别要让大家知道。事实上，如果我们可以把两种方式做一个有效结合，既懂得合理制订方案，且尊重这个方案，同时又能够灵活地因需而变，并且在讨论结果时，既报喜，又报忧（切记，"要报喜，但更要会报忧！"是很重要的管理期望值的秘诀之一），这两种方式合理调配，能让我们在职场上的成长速度快得多。

屏蔽诱惑

不能制约自己的人，不能称之为自由人。

　　懂得克制，是一种值得骄傲的品质。

　　我一直对自己有个要求，就是无论我身处哪里，我都必须是那个环境里能对周围产生价值，产生热量的源泉之一。所以我总是不停地问自己，我是否对这件事、这个人，在这个环节做到了"满足需要"，以至于我无论何时想起，都可以问心无愧？

　　如果答案不那么肯定，我便会努力让自己去屏蔽那些诱惑我的东西，比方说好看的电影，好玩的party，那些我累得东倒西歪后心理上极度需要的放松，那些与家人闲散打发的私享时光，那些茶余饭后浅谈深聊的相聚——不是因为我有超越常人的理智或者是工作狂，而是因为我会不安，当然曾几何时也试图不理会这种不安，享受悠闲一刻。结果却发现，真的是长痛不如短痛，不管你身处多怡然的环境，那种不安都会像绵长的牙痛一样，折磨着人寝食难安。

比如疯忙了一周，各种开会各种出差各种工作和家里的紧急状况，好不容易到了周末，理应休息一下，可是不管你是不是已经累得半死，事情总在那里不悲不喜地等着你，我通常只要周末一天不看邮件，到了晚上开电脑，一定会有一大堆邮件在那里等着我。

这种情况下，我必须而且一定要能屏蔽诱惑，能快速进入工作状态并且完成工作。只有这样，我才能在一周又一周的工作暇隙里，享受属于自己的一点点时间——我也需要去修个眉毛做个指甲，去找裁缝改改裙子，去买一件好看的外套；我也需要去打球，跑步，见见朋友，去菜市场买菜给家人做顿饭——周末自己买菜做饭给家人吃，这个习惯我已经坚持了好多好多年了。

所以，尽管我非常想周六的晚饭后，跟儿子老公腻在一起看个电影大片或者美剧，或者看看我们都很喜欢的体育节目，然后坐在一起说说话，哪怕就坐上一小会儿也好。但我知道自己必须打开电脑，看着一两百封邮件哗的一声，像潮水一样涌过来。

今天，电子邮件已经成为现代职场中人主要的汇报、沟通、熟悉业务进展、了解外部世界的主要工具。在某种程度上，处理邮件的速度直接决定着你是否能够不用时刻屏蔽诱惑，能够享受片刻闲暇。

我所供职的是一家"疯狂"的公司，很多人周末也没有停止手头的工作，随时有进展，随时有问题，随时要解决问题。一下子几百封邮件怎么处理？这里面特别考验你英文阅读的速度，甄别问题所属等级，以及处理问题的能力。我通常是先快速地看下去，有些邮件说的是一个主题的不同方面，要全部看完，知道前因后果才会权衡处理。

比如，有些事情根本与我和我的团队无关，却要让我表态；或者说，事情是否执行本身还存在分歧的时候，就不要着急跳进去发表意见，有些事情就是因为太多人着急跳进去，才让事情变得复杂，让做事的人难受，让效率变得低下，这时一定要有一个理智的判断。我会很快地在三个小时里把几百封邮件看完，分清楚什么事是要赶紧做的，刻不容缓；什么事我需要放一放，而且放一放它就已经不是个事儿了，等等。

拿处理老板的邮件为例。我觉得我是一个可以让老板平静的人。比如，邮件里有些事情是马上要告诉他答案的急事，如果我知道答案，我就立刻告诉他。还有些事情，不是特别急，但也很重要，我就会给他写一封信，告诉他现在这个事情处理到什么程度，接下来还要做什么，什么时候可以给他结果，让他放心——为什么我发现这个效果好，是好几次我发出去不到两分钟他就回信了，说明他一直在焦虑这些事。他会告诉我说"太好了，谢谢你在处理这件事情，特别谢谢你！"——每当这时我就特开心，因为觉得自己又救了一个原本晚上可能睡不着觉的人。我很理解这种心情，就比如我，着急想知道一些事情的进展，但是大周末的又不好意思给对方打电话，这点自觉还是要有。所以只能死守在电脑旁边，如果这时我看到一个同事会以一种很体贴的方式回我一封短短的邮件告知我进展，让我放心，他会去跟进，我肯定会非常高兴。

可能让人有点难以相信：哪怕工作得很晚才回家，我仍然每天晚饭后还要工作一阵——睡觉前花两到三个小时看很多文件和书，如果某一天那个时间段我只用看材料就已经很幸福了，这意味着我当天需要处理的事务已经全部处理完了。完成之后那种感觉真的是非常美妙，因为你知道一切都在运转，你都了如指掌，并且可控，于是第二天的上班会变得值得期待，变得跃跃欲试，也因为这个，晚上能了无牵挂地睡个好觉，这种感觉真好。

但诱惑毕竟是诱惑，你很难控制自己不去打开潘多拉的盒子，当那些想要休息的念头被周遭环境一点点地"勾引"出来时，内心的确很煎熬。你问我怎么忍得住？我也说不好，这是我多年来养成的习惯。我总觉得，那些娱乐和轻松不属于我，我没有那个资格去玩乐。我儿子还是个孩子，应该有而且必须要有娱乐时间给他；而我先生比我大好几岁，他已经奋斗了一辈子，的确该有时间享受人生，他能因此开心一点，我很高兴。而且如果两个人都是工作特别紧张的类型，家庭氛围就会不好。

当然有时候也管不住自己，比如我先生在房间看一个很棒的大片，我正好进去拿东西无意间瞟了一眼，然后脚就被定住了。然后……完了，这样的话，那天晚上我就得工作到一两点。而这里面敦促我一定不能被诱惑的最大推动力就是：我要"誓死捍卫"7个小时的睡眠时间——因为娱乐可以省去，但我不能省去我的工作，如果睡不够，我的工作强度又大得那么惊人，第二天处于"半昏迷状态"还要去攻占各个"碉堡"，想象一下就知道会死得很惨。加之我的睡眠质量又不太好，如果太晚睡，很容易就失眠睡不着，所以我必须要让自己在12点前完成工作上床睡觉——所谓"意志力"就是这么一点点"逼"出来的。

有一次实在太累了，好长一段时间每天都跟打仗一样过，特别想放松一下。所以那天晚上我约了个朋友喝茶，聊得好开心，不知不觉夜就深了。本来那天晚上我应该读完很多材料的，但回到家实在是太晚了，第二天早晨八点又要跟美国的同僚开会，于是就直接睡了，其实因为心里总觉得没看材料隐隐不安，觉也睡得不好。然后开会时因为头天晚上偷懒没看材料，观点还停留在几天前没有更新，于是会议的互动性和结果都因此受到影响。所以从那以后我就不敢再偷闲，每天乖乖把事情做到一个节点，但求能睡得心安理得。

2010年的上海世博会，因为我供职的公司是其高级赞助商的关系，我有在很好的时间段带家人去参观的机会。但是工作不能丢开，又想跟家人去玩，好为难。最后内心拉锯战的结果是，我们一家人一起到了上海，就住在离世博园最近的酒店，先生带着儿子逛世博，而我留在酒店里工作。

我记得早晨他们出门时给我留了豆浆，但是那天上午有个紧急事件要处理，一来二去已经到了中午，豆浆早就不能喝了，于是只能喝了点水接着干活，一直到傍晚他们爷俩儿回来，我忙得几乎都没有从椅子上起来过，饿得要死。但就算如此，工作完成了，家人玩得很高兴，我没有让哪一方留有不能弥补的遗憾，我已很知足。

有句话说每晚八到十点的两个小时你在做什么，决定了你今后五到十年的每天八个小时可以做什么，我非常赞成。所谓屏蔽诱惑，实际到最后，就是你自己怎么去理智地过好自己的生活。

Passive-aggressive 如意进退

"Passive-aggressive" 这个词的含义，跟中国古老智慧里的"四两拨千斤"有一拼。

"Passive-aggressive"是我很推崇的一种女性工作方式。

外国人对中国人的含蓄文化不太理解，于是就有了"Passive-aggressive"这个词的诞生。有人将其翻译为"被动攻击"，即"工作中用不行动表示反抗，或者遇事选择有条件的执行"，其实这是一种曲解。

在我看来，"Passive-aggressive"更接近一种"含而不露，借力发力"的儒释道管理方式，说话做事没必要锋芒毕露——虽然有实力一剑封喉，但这是否是最好的职场帷幄之道？为什么不可以弱化锋芒但内力十足呢？

在商业环境中，女性领导者的工作方式容易走向两个极端。第一种，认为自己必须要像个男人一样说话办事才能在男人堆里打拼出一片天地，甚至，要比他们更狠更剽悍才能得以生存，所以这样的女性往往从外形到处事原则都比男人更Man，更具有战斗性——她们在大众心中有另外一个名字——"男人婆"。第二种，这类女性表现得更像个追随者，而不是引领者。她们倾向于以大多数人的意见为自己的意见，更多时候关心的是员工的个人生活而不是职业发展。那种"妈妈"式的温婉、包容、和谐，以及被动接纳的工作方式完全出自天性，她们是真正的柔性管理者。

坦白说这两类工作方式都不够好，各有其缺憾和优势。身为女性管理者，只有身上同时兼备这两种基因，而且结合得当，才能更好地给自己和别人一个广阔的空间和未来。事实上，"Passive-aggressive"也就是这两种工作方式的合理调配，只是要习得需要很长时间的历练——可能一开始很多人只会强势地进攻、进攻、再进攻，然后渐渐能从伤痛中明晓"舌软易存，齿硬易折"的道理，然后才慢慢既懂得退、懂得守，同时又懂得如何进攻——所谓"知道进退、洞悉节奏、懂得分寸"也就是这样。

我也经历过这个过程。最早自己是个Passive被动的人，后来慢慢被环境影响，变得比较Aggressive以守为攻，那时实际上处于似懂非懂的时期——你希望自己做出点成就，但同时又觉得周围的人可能没那么认可你，就会变得有一点点"鹰派作风"。我曾在一个转换职业平台的时期处于那样的阶段，那时自觉找到了一点工作的感觉，又想成就一番事业，可是周围男性工作者太多，近朱者赤，我选择了像他们一样的姿态去打拼，尽管那种状态我并不喜欢。

后来去了新的工作平台，男人更多，并且没有人知道你到底是谁，所以更迫切地想要迅速建立自己的声誉，希望尽快展现能力、表现智慧，让大家看到我的核心竞争力和差异化优势。但我那时还不太会选择方式方法，于是犯了一个现在想来"很经典"的错误。

大家在一次高层会议上很热烈地讨论公司某个问题做得不够好——我们经常开这种"内部批评会",因为纯属内部会议,所以谈话氛围相当真诚开放,你能感觉到大家好像已经谈到某一种微醺状态了,我又是很容易被环境感染的人,加之那时才到公司三个多月,有点不知天高地厚,听大家讨论得如此热烈,就忍不住插了一句,"这件事情很容易处理的,在我原来的公司,是这样来处理的,我们在这个方面是最早进入中国市场的外企之一,那时候投入了很多……碰到类似的问题,我们如此这般……啪啪啪就搞定了!"Oh my God,这简直是大忌,这是一个"空降兵"新到一家企业一定不能做的事情,没有之一。

我大谈特谈之前供职的一家公司在相关方面的一些经验——不是这些心得收获不能说,关键是说的口气显得有些炫耀和标榜,这种表述方式有问题——只见我在那里口若悬河地"得瑟",说完还啪地一甩长发,流光四溢,说的时候还感觉特好,心想终于让我逮到说话的机会了。

可是说完以后,跟我预想的结果完全不一样,大家一片沉默。整个房间里所有人的表情都怪怪的,过了一会儿,CEO用他低沉的男低音说了一句:"我们这里也没有那么差。"他说完这句以后,所有人跟他哈哈一起笑,那种男性世界里典型的"男人的笑声"。

我差点就瞬间石化。也是到那时才回过味儿来,心里直骂自己傻!后来随着时间的推移,随着了解的加深,我更加肯定,他们习惯了永远带着一种谦卑的自我批评的态度来做讨论,其实已经做得非常棒,但仍希望每一天都用特别挑剔的眼光来看自认为不够优异的部分,永远带着150%的危机意识,永远如履薄冰行事,这是他们的一种品格。

但我却在那里傻傻地说了那番话，相当于朝在场讨论这个话题的每一个人打了一拳。殊不知行业不一样，政策环境不一样，因此方式方法当然也有不一样的地方……当时恨不得挖个地洞钻进去，恨自己在那里大放厥词，而且让所有人都看到了我的问题：她对公司知之甚浅，但她表现出来了一种对公司的批判，看来对企业的忠诚度还有待提升。

其实事后总结，问题就出在我的沟通方式上，我用了一种很Aggressive的沟通方式来说这件事，但如果换成"Passive-aggressive"的方式，结果会非常不一样——仍然还是那个场景，我完全还可以表达思想上那点小小的锋利，但是又不伤到别人。要做到这些，其实只需在"得瑟"前面加一段话："在我曾经工作过的那个领域也遇到过类似的难题，当时真是趔趔趄趄往前走，在那个过程中走了很多弯路，也因此学到了一点教训和经验。我很愿意跟大家做一个分享，只是不知道对各位有没有一点参考的价值"，这句话加上，后面再说什么都更顺理成章些。这就是四两拨千斤。

不过这种修为真的急不来，绝对是个漫长的自我领悟过程，一定要自己经历过、摔打过、鼻青脸肿过，才能一点点"学乖"。对我而言，现在每次表现"Passive-aggressive"的时候，往往我内心是想表现"Aggressive"。一定是有什么把我激起来了——内心有强烈的不同意、强烈的反对，那时人往往都不太理智，但越是这样的时候，越要训练自己用"Passive-aggressive"的方式来表达：尽管心里已经拍桌子了，但是表面上就更要清楚用什么样的方式跟对方沟通他更能接受，试着多用含而不露、以退为进的修辞来表达观点，这种训练慢慢会让做事的感觉和效果变好，甚至事半功倍。

有一次，公司高层访华，按礼仪，应该会有一个政府政要的见面会议，全球好几个部门为此奔忙，其间的沟通、安排、协调非常重要。我在这里面的角色，是要协助美国总部的团队将这件事情在国内落地，并顺利推进。这期间我就有很多次活用"Passive-aggressive"这种工作方式的时候。

比如总部在最初规划的行程议题里并没有安排对中国某个一线城市的访问计划，我对中国相对比他们了解，当然知道这个城市在中国经济领域的重要性，但我不能很强硬地去表达，"你们不懂中国，你们也不懂这个城市在中国的地位，我比你们都清楚，所以要听我的，加上它"，如果这样去沟通，一定会本着忠心办了件出力不讨好的事。

我的方法是，以公司里的人熟悉的情境引入，比如，以董事长曾谈及的"智慧城市建设"这方面为例来切入。我说，"这个城市是其中的样板城市之一。因此，你们可以想象，它在中国的地位是怎样的……"从这个角度引出主题并做相关介绍。然后把所有这一件相关利害都讲完之后，我也不会特别强硬地说，"所以你们应该加上它，"而是说，"这就是这个城市的概况，如果你们决定不去，那么请给我一个确认邮件，让我确保这是你们最后的决定。"其实你这样一说，对方也就都明白是怎么回事了，然后你把决定权留给对方，他们就会感觉你对这件事既"上心"，又很"尊重"他们，自然皆大欢喜——我做了认为对的提议，且让对方认同，他们很高兴地接受并修改了议程，这不就是职场处事的最优境界吗？

但在这个过程中，需要你坚持的时候，一定不能有丝毫软弱。比如在来到北京后，在"政要接见"这个环节上，总部认为只需要留出固定时间段就可以了，这时你就要明确告诉他们，第一，不是说希望见谁就一定可以见到谁，只能尽量往高层政要努力，但具体能见到"谁"这件事，不能百分之百笃定。第二，如果你们认为这个拜见是整个这次行程的一大亮点的话，那就请拿出足够的诚意来重视它。首先时间上，这个过程要预留两天，而不是一天，更不能是一天里的某个特定时段，必须要给到政要高层这一方多重的时间选择，因此，其他一切，包括董事局会议等等都得为此让道，要能保证"随叫随到"才行。

但在这个层面，总部的人实在不能理解，于是就情绪激动地在电话里跟我"大吵大嚷"，说你们中国怎么就这么特殊，还特意找了个印度人连线进电话会议跟我说"印度经验"，什么前几年在印度，如何的容易，想见谁见谁……无论如何，这时我变得非常强势，我说，"这事儿没有商量余地，而且我这么说甚至都已经是在往最好的结果上考虑问题了，这么多全球 500 强在中国，你们大可以去问问其他那些顶尖的公司，他们面对这种拜访时是如何安排的。如果当中有任何人可以跟你们说，我们只安排某一天里的某个时段做这次会面，那我恭喜你，我可以立刻辞职了。"说这段话的时候，我非常强硬，丝毫没有回转余地。目的是为了让对方引起足够重视，并且面对现实。

但气氛如果就僵在这里肯定对达到目标没有帮助，于是我就又要"Passive-aggressive"一下，"如果你们认为这次拜见非常重要，那么请重视我的建议，如果认为不重要，那就将这次会面从这个流程中直接取消掉。"然后，换一种轻柔的语调接着说，"你们刚才讲前几年在印度的经验，事实上呢，当时负责那个项目的人是向我汇报的，我那时是亚太区的副总裁，也负责印度，所以这件事我也很清楚。相对来说，两个国家还是不太一样的，中国是一头雄狮，发展蓬勃，气势强劲；印度呢，还在建设中，民主的对话此起彼落，但落差悬殊且国情是……"吧啦吧啦说了一堆，顺带举了很多其他 500强公司在这两个国家做类似事情的例子。然后我就看见我电脑里弹出及时消息，有位身处总部的同事给我发了一句，"现在很得意吧，他们全都听傻眼了。"总归最后，这个会议的结局是，大家纷纷表示，"你是中国专家，我们尊重你的提议。"这时也都不跟我吵了，会议结束前两分钟，还"唠了会儿嗑"，于是，这次电话会议最终在"和谐、开放、友好的氛围中达成了一致，圆满结束"。

上面说的是跟同事相处的情况，其实跟上司也是这样。比如当你面对你的老板时，如果有朝一日，你可以直接"批判"他说，"你今天衣服搭得不对"，那前面一定有很久很久的时间，你在用"Passive-aggressive"的工作方式在做积累和铺垫，正是因为有了那样一个彼此共处的基调之后，才可能有这种"小小犯上"的情况发生，而且还能被对方悦纳。

大多数时候，你需要尽力去理解你的老板。先看他这个人的性格主基调，如果他是一个偏内向、敏感，同时又自尊特别强的人时（东方的老板这种性格居多），一定不能不想方式方法，特别直白地想什么就说什么，这样不仅建立不起信任，而且会引来反感。所以特别需要"四两拨千斤"的工作方式——他会给你讲很多东西，你就先学会听，保持足够的倾听并尝试去发生共鸣，然后再试着说，"您刚才说的很多东西，我都怀有同感，并且我在这里面看到一点点不一样的东西……"往往当你这么说，老板会更容易接纳你后面要讲的"忠言"。

身为老板，他们见了太多的马屁和逢迎，他也清楚自己需要听真话。你不能像一杯白开水一样寡淡无味地坐在那儿，既不表示支持，也不表示反对，没有任何思想，也没有任何见解，老板会觉得这样的人太没劲了，所以还是要表达。只是说真话的方式有很多种，对于一个特别需要被尊重的角色，你不能直接说，"你这个方案里哪些我不赞同"，这种直接"忤逆"的表述是一种很笨的"献忠诚"的作法，所以要试着学着换"Passive-aggressive"的方式，去表达你真正想说的话。

比如，顺着他的话头方向，加入你自己的观察。总之，你需要在发言伊始就让他知道，你非常清楚"老板在很多方面都比我们聪明，有见地，否则也坐不到那个位置"这个前提，而且，你蛮赞同他的看法；然后，在这个前提下，找到一个适合"并线"的角度，友好地插入自己的观点。

所以，截止到目前来看，这种方法我基本都是在面对特殊情境中的客户、合作伙伴、管理上司，或者是跟我同级别的公司同事那里可能会用到。

但跟下属未必需要如此，有些事你就是需要表现得非常 Aggressive。比如曾经我有一个员工想调到上海，因为她先生半年前去了上海工作，于是她的一线经理和二线经理两个人本着人道主义的精神出发，跑来跟我商量这个调动。因为当时的实际情形实在不允许，我们经历着一个很重要的时刻，必须要有一个过渡阶段才可以谈调动，但时间不会太长，所以我说这个调动需要一段时间，目前暂时还不能同意。

这两位经理考虑要满足员工个人的需求，我觉得没有什么错，的确需要满足。但是他们忘掉了很重要的一点，就是这个"个体的人"同时也是一个"企业人"，企业利益跟个人利益一定要放在至少同等重要的位置，如果不考虑实际当下的企业情形就作决定是会出问题的，你确实是让这个人对你感恩戴德，但企业利益却不曾顾及到。职场不是幼儿园，更不是福利院，大家都是过来人，我自己不也被派来派去的吗？既然你选择了这份工作，这个位置，你就要能承担相应的责任。

当然事实是，最后我同意了她的这个调动申请。一线经理是个出了名的大好人，做事没什么原则，所以这种时候我就必须要显得"铁拳"一点，我让他们两位经理给我白纸黑字的立了一个军令状，这个人的调动、工作地点的转换不会影响她的工作效果，这是我上给这两位经理的紧箍咒。

　　不过凭良心说，我自己经历过那么多次的外派，跟家人分居两地，我当然明白其中苦楚，可我不能因为足够感同身受，就烂好人一个，没有原则，不考虑后果地同意这类决定——这是一定需要从企业利益出发去考虑和权衡的地方，原则底线的事情，Passive不得。

　　说到底，"Passive-aggressive"就是一种在进进退退之间寻找和谐共处的艺术，就跟舞蹈的步伐一样，进退之间找到了节奏，自然能跳出美感；如果没找到节奏，则容易互相踩了对方的脚——可是即便踩了脚又有什么关系呢，思想上带着这根弦继续练下去，终归能跳到行云流水，神形兼备。

开会兵法

"会是常常从早上开到晚上，没有话讲的人也要讲一顿，不讲好像对不起人。总之，不看实际情形，死守着呆板的旧形式、旧习惯。这种现象，不是也应该加以改进吗？"

——毛泽东

开会对很多人来说，就像是开车途中遇到的红灯——大方向上看这个设置是为了达到合理规划交通的目的，但对个人而言，那凭空多出来的，既难捱又无所事事的耗损的确令人生厌，只是又避不开。

难怪美国作家斯科特·菲茨杰拉德讲的"没有一种伟大思想是在会议中诞生的，但已有许多愚蠢的思想在那里死去"，这句话会大行其道。

我曾看到过一个调查，跨国人力资源顾问公司华德士（Robert Walters）曾对 13 个国家的 2 000 名上班族进行了一次国际调研，研究企业里的会议。结果，开会最多的南非有83.67%的受访者认为会议没有达到工作目标。紧随其后的是美国的 81.82% 和香港的 81.71%——据统计，美国每天要召开 1 100 万次各种会议，经理们花在会议上的时间要占工作时间的 40% ~70%，而大多数人认为这个过程中得到的成效甚低。

我也讨厌开会，讨厌为开会而开会，为了应付形式而开会；讨厌没有目的性的多中心会议；讨厌会前没有准备，会议主持人缺乏会场控制和引导能力的会；讨厌参会人员不准时的会；讨厌对于一个问题反复研究却总是拿不出决策，会议内容重复再重复的会；以及汇报工作的人员不得要领，像是在说每天工作流水账的会。

说到这儿，我很认同毛泽东写的关于开会的一段话，在《党委会的工作方法》里他写道："开会要事先通知，像出安民告示一样，让大家知道讨论什么问题，解决什么问题，并且早作准备。有些地方开干部会，事前不准备好报告和决议草案，等开会的人到了才临时凑合，好像'兵马已到，粮草未备'，这是不好的。如果没有准备，就不要急于开会。"

但无论如何，开会这件事，实在又很必要。传达战略决策、项目推进评估、讨论方案创意、多个合作部门的信息同步、谈判、权衡、决策等等，全都有赖于开会来解决。随着职场年资越长，职位和相应的职能越高，各种各样需要参与，或者主动发起的会也就越加难以避开，因此，没有一套行之有效的"开会兵法"是不行的。

因为会议上你能看到千姿百态的职场众生相：有的人带着自己的心事和考虑而来，想利用你的这个场合贩卖自己的意图；有的人，发表意见不是为了大局利益考虑，而是为了炫耀；有的人，顾左右而言他，只是为了发点私愤；有的人，你会怀疑他是不是刚刚星际旅行归来，怎么脑子里这么多稀奇古怪的念头；还有的人聊着聊着突然High起来，唱歌不说还要站起来舞一段……这些都曾经真实地发生在我参与过的会议中。

所以，我的第一条会议兵法就是：万变不离其宗。

加"佐料"很有趣，"跑偏"也没关系，但是，还得给我回来，回到开这次会的初衷上来。如果你是这个会议的精神领袖，是组织者，就要适时扮演好一个"讨厌鬼"的角色，哪怕他们跑题跑得兴致正浓、热火朝天，你也要一盆冷水浇上去，让大家回到主线上来。

比如，你组织了一次会议讨论，挑选来参会的，是预先评估过能够对这个议题有某方面贡献的人，你大概了解他们会说些什么，是什么样一种表现和个性。比如他可能会跑题，会表现得过于活跃或者过于沉默——在中国经常出现的问题是什么？就是你好不容易把他的时间摁住，好不容易让他来参会，但是他半天都不开口，在那边打电脑、看手机、接电话……总归心不在此。所以，你需要控制住整个会议进程——就像个"联合国"一样，让不同的人在这里都有一个轻松自在的表达环境。关键是，它看似轻松自如，但实际又是有着精细架构和设计的一个环境，你需要设置一张无形的话题网，鼓动着大家往里面跳，把他们的智慧火花全部留在网里人才可以走。就是说，不要他的躯壳，要的是他的灵魂。

要做到这个并不容易，比如有的人有不同意见他不表达，他一看这里"气场不和"便开始奉行"话不投机半句多"的外交政策，看得你心里那个恨。遇到这种时候，我就会故意"挑拨"一下：某某你不是很有观点的吗？你昨天不是跟我说你的看法是……，现在怎么不说呀？这么做对方其实会很不高兴，他原本想就好好做只鸵鸟，遇到"危险"把头埋进沙子里就好，结果你非要把他的头在光天化日之下从沙子里拔出来直面人生，他肯定高兴不起来，但为大局着想，你必须这么做。还有一种人，他特别有表达的欲望，整个会议几乎有一多半时间都是他在说说说，这个时候，就需要你把他的头摁到沙子里去，让他休息会儿，让别人说。

"Hey guys, Let's go back to the topic." （各位，让我们回到主题）是我经常说的一句口头禅，尤其在电话会议上，人也见不到面，经常说着说着就没边儿了，所以需要及时拉回来。在整个的商业讨论当中，经常需要处理这样的事情，加之你身处一个跨文化跨国别的公司里时，感觉会更明显。这里有各种口音的英文，有各色人种，有各色时差，各色心情，以及各色动机。所以作为会议的精神领袖，你必须让自己像个军队统帅，一切按我说的方向走，别试图自己瞎来——当然你可以带我们小小畅游一下，但目的是为了让我们把今天要攻下的这个问题看得更深入、更丰富、更鲜活。你发散开的只是枝杈，树干永远在我这儿，别想越俎代庖！一定要有点这种霸气才行。

我的第二条会议兵法是：承上启下，回归主线。

这种"开会兵法"主要是在别人的主场里使用。这时我的角色转换了，也有自己参会的立场和目的，也想炫耀成绩或者讲个故事，但是角色换了，主心骨不能换，我会时刻想着怎么帮助这个会议的精神领导，把一辆快要脱轨的列车拉回到轨道上来。也许别人会想反正不是自己的车，随它去，要脱轨就脱轨，看笑话好了。甚至没准儿会抱怨主办方原本的想法就是错的，方向就不对——我这个人这方面比较愚，我会认为任何一个精神领袖来发起这个讨论，就一定有他的思考和业务目的，如果我从一开始就不认同他这个决策方向，那干脆就不参加，不要当面去驳人家的面子；但如果我认为他这个决定是有意义的，就会很真诚地参加进去，并且帮其"盯梢"，如果有脱轨迹象就帮着给拉回主线上来。我不愿意在里头做个"行尸走肉"，人到神不到，既然大家花那么多时间聚在一起，我也承诺参与进来，就一定会努力帮助主办方实现会议目的。

于是每每看到有人谈得避重就轻，云山雾罩，或者直接想"跳车"，我就会说，"我跟大家一样，也有些不赞同"，或者说，"我跟你们一样，也想在这里跟大家说说我们操作时的方式方法，但是今天时间不多，这个会议五点结束，我们是不是可以听会议发起人的，以他的方式为主，咱们在这个基础上再添砖加瓦，寻找解决方案。"看似站在"脱轨"一方，实则是在帮会议精神领袖说话，往往这时，会议发起人会特别感谢我。

前段时间我参加了一个探讨 2015 年业务的战略会议，在谈到某一新兴业务板块的时候，大家有很多声音冒出来，七嘴八舌自诩专业地大讲特讲在这件事情上公司应该怎么定位云云，很多人各执己见，甚至出现了不太愉快的争论。看到这个情况，我就说，"让我们先回到本质上来看看吧。这一业务到现在已经开展到了第四个年头，在中国的局面已经算得上是八仙过海，家家都声称自己做得风起云涌。如果我们想把这个业务的盘子做大，说大话已经没有用了，你再展示自己是行业的领袖，没有解决方案都没有用。恕我说句直白的话，客户看的就是案例，还不如具体说说我们在哪些行业具体执行过哪些相关的业务，并且如何帮助客户提升了他们的效率和竞争力，节省了多少开支。到这个时候了，就不要玩儿天真了，面对现实，一个一个企业做扎实，然后经过客户同意，把案例分享出来，这些比我们跟新客户去夸夸其谈要管用。"我发现讲出这番话后，所有人都在点头。实际上，我是刻意挑了这个时间来表达自己的观点，因为看到会议议程里下一个环节要谈的是"客户需求"这个主题，于是就承上启下，把话题引导到会议主线上来了。

有意思的是，到了那天快下班时，我看到微博上有人"@"我，大意是说"因为公司的一个会议，我有幸坐在了周忆旁边，发现她果真气质如兰，恬静淡定。最宝贵的是，敢讲实话，在大家讨论虚幻问题时，敢站出来，非常本真地去谈一些实际的问题。看来人牛确实装不出来，真需要内外兼修"。也不知道具体是谁，没对上号。但我当时还挺高兴的，回家还跟我先生得意地"炫耀"，看！这是公司员工对我的评价。

我的第三条会议兵法是：大雪无痕，顺势而为。

在跟别的公司或者客户谈合作时，对方说着说着也会跑题，或者合作的条件很苛刻。这种时候有的人可能会在讨价还价中忘掉了自己最初的立场和目标，有的人可能会显得据理力争，非常僵硬——这都不是好的开会方式。

其实这种时候最有效的方式是"尽量不得罪对方，顺着对方，然后不知不觉大雪无痕地还把自己想要达成的事儿给办了"，这恐怕算得上是现代商战的最高境界了。

尤其在客户端工作，一定不要让人觉得你很强硬、很强势，其实这样反而容易被人一眼看到底。笨一点，愚一点，话少一点，表现出愿意跟对方学习和倾听的样子，客户一下就把"盔甲"脱掉了，当他放下防御后，就离信任你、欣赏你、喜欢你不远了。要在这个过程中让对方感觉到你是一个非常稳健的，跟他的智慧和聪明程度旗鼓相当的，同时又可以信赖和掏心窝子的人。当他自己觉得把他的钱给你，可以为自己带来更多的利益和利润时，你就获得了最大的成功。

要达到这种境界真的很难，我也在不断地学习。

这方面我前一阵子有个经历特别有意思，那时我正在某地休假，结果被同事临时劫道，要我去拜访当地的一个客户。被劫的当时我正在外面玩儿呢，穿得特别没个工作样儿：一件帽衫，一件小背心——我说能不能让我去酒店换件衣服，对方说不行，时间来不及。于是就这么一身行头，坐了三四个小时的车，风尘仆仆一身疲惫地到了客户的公司。

从见到董事长的那一刻起，对方就开始了滔滔不绝地长篇大论，那屋子里蚊子还特别多，咬得我要死。加之是临时被抓来，又倦又累，衣服也没穿对，心情并不好。所以，头五分钟，我其实有点不耐烦。到后来，心想既来之，则顺其自然吧，赶紧调整状态认真应对。于是发觉对方噼里啪啦说这么一大堆，想表达的意思无非就一个：我有钱，可以考虑跟你们立项，这事儿政府也支持我，所以一会儿发改委主任会来见见你。我问这事儿跟他有什么关系？他说这个项目必须他同意才行。到此我就明白了，他想让我帮他一起公关，他早就筹划好了这步棋。

但对我来说，目标是把项目拿下来。所以这个过程里，在他炫耀自己的财力和政府的支持力度的同时，我要把他的话题不着痕迹地拉到我的目标领域来：第一，我要知道他的真实财力，我最小一个单子也是百万美元算，我也担心他的企业是否具有实际的支付能力；第二，如果支付能力确实，我想在他炫耀结束时，给我下个保票，把这个项目交给我们公司做——这个部分他一直没吐口，只是在说他的需求，但别的公司也可以做，所以我要他给我个保证。

于是我一边听一边想应该从哪个突破口进去，能找到他的软肋，问他一个出其不意的问题，达到我的目的。找了个空子，我问了一个让他眉开眼笑的问题，让他一下子就觉得我们是同盟了。其实这个问题特别浅显，"您真厉害，我特别好奇您是怎么赚到那么多钱的？"他哈哈笑了，"小周，你这个问题问得很好！"一下子开始管我叫"小周"了。我知道这是他最得意的一部分——这么爱"显摆"的一个人，你问他最得意的问题，他肯定很爽。于是他就口若悬河地跟我讲他的整个盈利模式，听着听着我差不多也就把他的营业额套出来了，这就可以变相评估他的支付能力。

那么，剩下的问题就是如何让他给我一个"保票"，我也不着急，不慌不忙听着他显摆，当他说到："你说我们这家企业为什么盘得这么活？是因为我们每个人都要分红的，都是有股份的。" 我就接了一句，"您真是一个特别懂商业运作规则的人啊"，他说，"对！我们这种人是没有废话的，说干就干！所以，小周，这个项目交给你们了，我很喜欢你们，很稳健！"于是这个项目就定了，我后来打电话给我们的销售，说我整个给你们拉了一单……

后来吃晚饭的时候，他回过神来了，跟一起吃饭的政府部门的要员说，我要跟你特别介绍一下这位美女总裁，太有脑子了！你知道吗，她在谈判的最后一刻其实是在问我有没有钱付！我就在那儿浅笑，说，您吃的盐都比我多，哪儿比得过您。

其实那天他讲了95%的话，我只讲了5%的话，但他炫耀得很爽，我也因为问对了关键问题而得到了自己想要的答案和结果，一切都大雪无痕地按照设定推进，这种感觉特别好。

所以我认为，开会一定要有一种军队的纪律性在里面，要学会在很短的时间内，围绕讨论的主题，简洁、清楚地把事情讨论完毕。这也是种训练，我会跟我的工作伙伴说，你看到客户就在电梯里，机会可能只有30秒，所以你肯定会努力在短时间内抓住重点和亮点把事情讲清楚，内部开会不也一样吗，因为大家的时间同样宝贵。

我有时也挺"狠"的，就把手表压在桌台上，然后说，会议从现在开始，六点钟准时结束，就一个小时。我要看看你们能不能在一个小时里把这件事情讨论清楚。我们要像运动员赛跑似的，跟自己的速度发出挑战书，能够十分钟讲完的，绝对不讲二十分钟。

　　不过有一段时间这事儿有点儿矫枉过正，比如我要去客户那里做演讲，结果给我的PPT就七八张。我问就这些？答，你不是要简洁吗？我说，拜托！我去跟客户做一个小时的演讲，这几张图真的够了？你们不要弄死我，这我不是得无边无际地发挥了？他们说，要多一点的话，其实后面还有内容，只是没有发给你。拿出来一看，是很有建设性，同时又言简意赅的内容，于是你会觉得心里很有底。我很高兴，看到自己的团队在这种勾兑当中，已经慢慢学会了如何与人做精准适宜的沟通。

　　所以商业也是一种艺术，就像绘画讲各种流派：印象主义、抽象主义、矫饰主义、超现实主义等等。我觉得开会这件事，就是一个抽象艺术，可以只通过简洁的线条和色块就把事情表达清楚，同时还让人觉得非常睿智干练，并且给人无限遐想——这是个功夫活儿，画家简单的几笔，实际上包含了他前面做的大量的思考和实践。看似寥寥数笔，已经天高地阔，丝丝入扣。既给足了现场，也给足了想象。

运气是经营出来的

"在凡夫俗子眼里，运气永远是与生俱来的，只要发现有人在职务上得到升迁、在商海中势如破竹，或在某一领域取得成功，他们就会很随便、甚至用轻蔑的口气说：这个人的运气真好，是好运帮了他！这种人永远不能窥见一个让自己赖以成功的伟大真理：每个人都是他自己命运的设计师和建筑师。"

亲爱的约翰：

有些人注定要成为令人炫目的王者或伟人，因为他们非凡的才能，譬如，老麦考密克先生，他长着一颗能制造运气的脑袋，知道如何将收割机变成收割钞票的镰刀。

在我眼里，老麦考密克永远是位野心勃勃且具商业才能的实业巨子，他用收割机解放了美国农民，同时也把自己送入全美最富有者的行列。法国人似乎更喜欢他，盛赞他为"对世界最有贡献的人"。哦，这真是一个意外的收获。

这位原本只能做个普通农具商的商界奇才，说过的一句深奥的名言："运气是设计的残余物质。"

这句话听起来的确让人颇费脑筋，它是指运气是策划和策略的结果？还是指运气是策划之后剩余的东西呢？我的经验告诉我，这两种意义都存在，换句话说，我们创造自己的运气，我们任何行动都不可能把运气完全消除，运气是策划和设计过程中难以摆脱的福音。

麦考密克洞悉了运气的真谛，叩开了运气的大门。所以，我对麦考密克收割机能行销全球，成为日不落产品，丝毫不感到奇怪。

然而，在我们这个世界上，很难找到像麦考密克先生那样善于策划运气的人，也很难找到不相信运气的人，和不误解运气的人。

在凡夫俗子眼里，运气永远是与生俱来的，只要发现有人在职务上得到升迁、在商海中势如破竹，或在某一领域取得成功，他们就会很随便、甚至用轻蔑的口气说："这个人的运气真好，是好运帮了他！"这种人永远不能窥见一个让自己赖以成功的伟大真理：每个人都是他自己命运的设计师和建筑师。

我承认，就像人不能没有金钱一样，人不能没有运气。但是，要想有所作为就不能等待运气光顾。我的信条是：我不靠天赐的运气活着，但我靠策划运气发达。我相信好的计划会左右运气，甚至在任何情况下，都能成功地影响运气。我在石油界实施的，变竞争为合作的计划恰恰验证了这一点。

在那项计划开始前，炼油商们各自为战，利欲熏心，结果引发了毁灭性的竞争。这种竞争对消费者来说当然是个福音，但油价下跌对炼油商却是个灾难。那时候绝大多数炼油商做的都是亏本生意，正一个一个滑入破产的泥潭。

我很清楚，要想重新有利可图并将钱永远地赚下去，就必须驯服这个行业，让大家理性行事。我把它视为一种责任，然而这很难做到，这需要一个计划——一个将所有炼油业务置于我麾下的计划。

约翰，要在获取利益的猎场上成为好猎手，你需要勤于思考、做事小心，能够看到事物中一切可能存在的危险和机遇，同时又要像一个棋手那样研究所有可能危及你霸主地位的各种战略。我彻底研究了形势并评估了自己的力量，决定将大本营科利佛兰作为我发动统治石油工业战争的第一战场，待征服在那里的二十几家竞争对手之后，再迅速行动，开辟第二战场，直至将那些对手全部征服，建立石油业和新秩序。

就像战场上的指挥官，选择攻击什么样的目标，要首先知道选择什么样的火器才最奏效一样，要想成功实现将石油业统一到我麾下的计划，需要一个彻底解决问题的手段，那就是钱，我需要大量的钱去买下那些制造生产过剩的炼油厂。但我手头上的那点资金不足以实现我的计划，所以我决定组建股份公司，把行业外的投资者拉进来。很快我们以百万资产在俄亥俄注册成立了标准石油公司，第二年资本大幅扩张了三倍半。但何时动手却是个学问。

富有远见的商人总善于从每次灾难中寻找机会，我就是这样做的。在我们开始征服之旅前，石油业一片混乱，一天比一天没有希望，科利佛兰百分之九十的炼油商已经快被日益剧烈的竞争压垮了，如果不把厂子卖掉，他们就只能眼睁睁地看着自己走向灭亡。这是收购对手的最好时机。

在此时采取收购行动，似乎不太道德，但这的确与良知无关。企业就如战场，战略目标的意义就是要造成对己方最有利的状态。出于战略上考虑，我选择的第一个征服目标不是不堪一击的小公司，而是最强劲的对手克拉克·佩恩公司。这家公司在克利夫兰有很大名望，且野心勃勃，想要吃掉我的明星炼油厂。

但在对手决定之前，我总要先下手为强。我主动约见克拉克·佩恩公司最大的股东，我中学时代的老朋友，奥利弗·佩恩先生，我告诉他，石油业混乱、低迷的时代该结束了，为保护无数家庭赖以生存的这个行业，我要建立一个庞大、高绩效的石油公司，并欢迎他入伙。我的计划打动了佩恩，最后他们同意以40万美元的价格出售公司。

我知道克拉克·佩恩公司根本不值这个价钱，但我没有拒绝他们，吃掉克拉克·佩恩公司就意味着我将取得全世界最大炼油商的地位，将为迅速把克利夫兰的炼油商捏合在一起充当强力先锋。

这一招果然十分奏效。在以后不到两个月的时间里，就有二十二家竞争对手归于标准石油公司的麾下，并最终让我成为那场收购战的大赢家。而这又给我势不可挡的动力，在此后三年时间里，我连续征服了费城、匹兹堡、巴尔的摩的炼油商，成为全美炼油业的唯一主人。

今天想来，我真是幸运，如果当时我只感叹自己时运不济，随波逐流，我或许早已被征服掉了。但我策划出了我的运气。

世界上什么事都可以发生，就是不会发生不劳而获的事。那些随波逐流、墨守成规的人，我不屑一顾。他们的大脑被错误的思想所盘踞，以为能全身而退就值得沾沾自喜。

约翰，要想让我们的好运连连，我们必须要精心策划运气，而策划运气，需要好的计划，好的计划一定是好的设计，好的设计一定能够发挥作用。你需要知道，在构思好的设计时，要首先考虑两个基本的先决条件，第一个条件是知道自己的目标，譬如你要做什么，甚至你要成为什么样的人；第二个条件是知道自己拥有什么资源，譬如地位、金钱、人际关系，乃至能力。

这两个基本条件的顺序并非绝对不能改变，你可能先有一个构想、一个目标，才开始寻找适于这些资源的目标。还可以把它们混合一处，形成第三和第四种方法，例如拥有某种目标和某种资源，为实现目标，你必须选择性地创造一些资源，也可能拥有一些资源和某个目标，你必须根据这些资源，提高或降低目标。

你根据资源调整目标或根据目标调整资源之后，就有了一个基础——可以据以构思设计的结构，剩下的东西就是用手段与时间去填充，和等待运气的来临了。

你需要记住，我的儿子，设计运气，就是设计人生。所以在你等待运气的时候，你要知道如何引导运气。试试看吧。

爱你的父亲

以上是石油大亨洛克菲勒（John Davison Rockefeller）在 1900 年 1 月 20 日写给儿子的一封信，他给儿子约翰写了三十八封信，这是第二封，主题是"运气靠策划"。

我忍不住全文引用下来，因为他讲的实在太好，于我自己思考运气这个问题时都大有裨益。

在我这二十来年的职业生涯中，不断听到有人夸我运气好，理由大约归结为这么几点："家庭不错，人长得还行，工作能力强，老板信任赏识，晋升速度像坐着火箭往上升那么快……"。某种程度上，我承认，"我运气好"这是一个事实。傻人有傻福，无论婚姻还是事业都没想那么多，早早把自己安排了，然后就踏踏实实沿着最初的方向一路走了下来；但另一方面，很多人不明白，我这种运气好跟"撞大运"没有多少关系，所谓运气，其实都是经营出来的。

毕竟，有谁可能一直活在童话般的婚姻里，没有柴米油盐，没有冲突纷扰？又有谁可能事业上毫无压力，总能够轻松怡然就达到某个工作目标？如果有，那这个不叫"运气"，叫"戏剧"。只有在很烂的肥皂剧情节里，才会有"高富帅"、"白富美"不用奋斗，整天谈情说爱、你侬我侬就能有宏图大展的事情发生；也只有在那样的剧本里，男女"屌丝"最后都能因为遇到死乞白赖非要帮助他们不可的贵人而自然而然过上了"幸福的生活"。

可那都不是现实。现实是，任何看起来运气十足的理想生活，都是舍得狠花心力投身其中，用心勾兑，合理取舍，趟过荆棘坎坷的结果。

我的确是个事业经营得还算不错的女性，的确公司对我的很多任命是有划时代意义的，因为此前没有中国本土人做到过这样的位置。一般情况下，鱼和熊掌不可兼得，女性越做到高位，越要在内在寻找雄性支撑，也越容易变得硬朗和"女强人化"。但我从外表上看来，始终还保持着女性应该具备的特质。因为如此，一方面我的确感恩上苍；另一方面也说明了，我并非短时状态如此，而是持续一直有成长。人可能得势一时，却绝不可能不经营不努力就只凭运气得势一世，这已是最好的答案。我用了这漫长的几十年来证明，我不是靠着运气走到今天，只凭运气，人是不能一直保持在理想状态的。

所以，好运气一定是靠经营而来。对我来说，秘诀主要有这么几个：

第一，锻炼处理"多头事件"的能力，能够把公事、家事、自己的事、别人需要帮忙的事都能hold住，先后顺序分清楚处理好，这个过程里还要经得住诱惑静得下心——要做到不容易，但一旦协调好了这些，你会发现自己已经进入"好运"的领土了。

第二，在经营事业的过程中，要会"悟"，跟上司相处时尤为如此。拿我跟自己的一位上司相处的经历做例子。

这位上司他不会教人应该怎么做，比如他给你订的目标是"找到公园的门走出去"，但他会在公园里走到一半路的时候就"抛下你"，只是告诉你大概是哪个方向，然后"剩下的路你自己走吧"。他希望你自己走过去，你要自己经历那个寻找、迷路、询问、摔跤的过程，最后跌跌撞撞着柳暗花明，他一定要让你自己走这个过程。有悟性的人，只要这么一次，下次就会变得更聪明。

他会允许你犯一些错误，而且认为你一定要犯些错，不犯错怎么可能变得更聪明呢？所以我发现在我刚进公司的时候，他会允许我说错话，办错事，然后遭遇别人对我的白眼和嘲讽。事后我听说他当时对我的评价是，他可真不懂公司的业务啊，可是没关系，他给我机会犯错，而我懂得在错误中悟道。所以，慢慢地，我根本不用他再催我下一步要做什么，我就知道我到这个时候该"下车自己走"了，而且我也知道了公司的禁区在哪里，哪些事情不该做，哪些话不该说——他培养了我最自然的，但又深入骨髓的一种职业精神。

他喜欢下属去"悟"他，比如我发现，无论是电子邮件还是谈话，如果他同意会立刻回应，如果他不回应，或者是过了四十八小时才回应，就说明他对这个事有他自己的看法，眼下的计划和安排还需要再改进。

这个悟的过程不仅仅是培养"两个人"之间的工作默契，更多的，是让你快速领悟一种工作方式，而这种工作方式在职场中，尤其是在中国语境下的职场中，是一个非常重要的成长通道。

第三，铁打的意志。前段时间我拿了美国《广告时代》的"Ad Age's

2012 Women to Watch in China"这个的确是很难得到的大奖，他们用"Gill Zhou is a Model for Working Women in China"这样的标题描述我，我实在与有荣焉。

重点是，在得奖后，《广告时代》的记者采访我们公司的一位高管时她给我的评价让我突然明白，原来这个特质也是我拥有好运气的构成因素之一。她说，"你们初次见到Gill的时候，一定不要低估她的力量，这个人看上去美丽羸弱，但她有着钢铁一般的意志。"实际上所谓的运气，在于你的意志。运气一定都是有好有坏，你是一个绝对不会去动摇的专注的人，没有这个，再好的运气也只是镜花水月而已。

第四，选择你自己的战役——choose your battles。人总会遇到排山倒海的工作袭来的时候，游击战、阻击战、反击战……你有太多的战役要打。这种情况下，一定要确定自己的战场在哪里——哪些战役你一定不能输，就必须无惧万难、一往无前。比如我前几天跟儿子聊天："你今年大的任务是什么？"他说："第一，托福。第二，戏剧社。"我听了特高兴，因为他知道自己的战役是什么。

第五，把握好"真命时刻"，就是那种"Moment of Truth"。那种时刻千万不能放过，而且一定要展现最好的一面。什么是真命时刻？举个例子，今年六月我们公司全球董事会在上海召开，其中给我二十五分钟做演讲。这是十一年来，我第一次有机会能够带着我们大中华区的三个姐妹去向董事会传递一个信息：未来三十年内，公司在中国的投资是有极强的人才基础的。这是一个好难讲的话题，他们会有各种各样的问题，但我们必须传达清楚一个信息：你们看人没有看错，我们有极强的人才储备可以将公司的2020战略在中国变成现实。为了这次演讲，我们上台的四个人在一起练了一百多遍。

最后一个，上天给你的资本，你有没有因势利导？

我只做跟我"心之所向"一致的事情，然而很多人不知道或者做不到这一点。明明是株需要阳光的向日葵，却非要耗在潮湿幽暗的角落里跟苔藓抢阳光雨露，自然是天时不济，地气不接，人和不至。因此，感叹时运不堪，怀才不遇也是迟早的事。

我天生喜欢表达，喜欢与人沟通，喜欢站在东西方的文化门槛上看世界，这是我乐在其中且做起来比较有优势的事情。而我选择的工作方向，恰恰是在做这些擅长——老天爷给了我天赋去做，与市场、品牌和传播内容有关的工作，在这个基础上选对了发挥天分的平台和土壤，这片土壤助力我把天赋中最好的潜能发挥出来，而我的这种发挥又能反哺土壤，给它需要的价值，这是一个顺境循环。我的内在和外在没有什么因此别扭的部分，顺势而为，自然顺遂。

Good Luck！好运。

愿我的故事，解你的心事

　　我从不曾想过会写一本关于自己的书，因为父亲在师范学院里教书，讲的就是写作，所以从小我就把写作看得很重，写书更是高高在上的事，"文章千古事"，马虎不得的。其二，我在书店翻过一些当下的"名人传记"，有些不好的印象，似乎总有自吹自擂之嫌，所以觉得自己最好别"效仿"。

　　然而，有三件事改变了我的想法。

　　第一件事是：我从 2011 年起开了微博，应该算是相当晚的，而且还是朋友一个劲儿的"撺掇"，甚至拿过我的手机，帮我注册了地址，做好各种设定。一旦上了微博，就发现这个时髦而新鲜的玩意儿真是好，是一个难得的公共平台，更是一个能与千万个熟悉或者陌生的人进行互动的平台。

　　我也绝没想到我的"粉丝"会呈爆炸式增长，会由几千至几万至几十万，到现在的一百多万。有了他们的关注，我就愿意把我职场上或生活中的一些经历写出来告诉他们。我发的微博不算多，迄今也就几百条，但得到"粉丝"们的反响却空前热烈。

一次，我去南京分公司举办品牌维护和发展的演讲，演讲后走下台来和当地分公司的同事们聊天，一个年轻的小伙子兴奋地跟我说："周总，您知道吗？我夫人也是您微博的'粉丝'呢！"在洗手间里，又遇到一位来听我演讲的客户，她居然对我发的每条微博都如数家珍、津津乐道，这使我受宠若惊。

以后类似的事情常常遇到，在电梯里对面站着的陌生人，都会突然说："你是周忆吧？我是你微博的'粉丝'，我的网名叫什么什么。"我的微博无关风花雪月、饮食男女，基本是职场奋斗的一些心得，对自己工作领域的一些独到领悟，也包括一小部分自己生活状态的一些采撷。可惜，囿于140个字的限制，也囿于微博"快餐"式的表达，这些表述都是相当碎片化的，那时，我的意识里就不时有些冲动，要是系统地成篇幅地写出来就好了。

第二件事是：2011年，我获得杰出职场女性"木兰奖"，这是一个相当有影响和号召力的奖项，我非常珍惜。领奖后，几个要好的获奖姐妹在印象系列操盘手王潮歌的餐厅里聚首，大家天南海北地聊，才发现每个人或多或少都有些睡眠障碍。都是各个行业的中坚，作为女性，又要扮演多重社会和家庭角色，虽然外表都光鲜无比，但心中的压力可想而知。

每当夜深人静难以入眠的时候，大家都说这时枕边如果有一本好书，读起来不累不燥，又能带来一些感悟和快意，那真是无价之宝，远胜过豪华席梦思大床和各种进口的昂贵的催眠药物。在姐妹们欢快热闹的"爆侃"中，我的思绪开了小差：要是我写一本书，也许能成为枕边读物。

第三件事是：儿子要考托福，考试地点恰巧在我的母校——北外，现在全称已改为北京外国语大学，这是我拿到硕士文凭的地方，也是我到北京的第一个落脚地。我出生在一座江南小城，成长在一个典型的普通知识分子家庭，并不富裕但十分安逸的生活气氛一直包裹着我。在我周围，没有太多的人想走出江南到外边闯荡，更别说女孩子。未来的人生道路不外乎是在父母的呵护下，物色个如意郎君，早早结婚，早早生儿育女，一辈子滋滋润润地过日子罢了。

也许是机缘巧合，也许是命中注定，我走了出来，而且一直向着北方，过了长江，过了黄河，一直走到北京，我也算是北漂一族吧，不过八十年代末还没有这个词汇而已。初到"帝都"，举目无亲无友，别说清晰的人生奋斗目标，就连将来的出路是什么都心中无数。只有一个简单的念头支撑着我：这里是首都，这里是中国的中心，我要在这里立足，回去就是失败者，就只能过一辈子平庸无趣的生活。

但是，意念碰到具体的现实生活也很脆弱，也很伤痕累累。现在我想，如果那时我遇到了一本书，一本讲述外省女孩儿在京城如何打拼的书，它会给我莫大的滋养和激励，会使我少走很多弯路。

今天，有更多外乡的女孩子闯入京城，在职场上奋斗，甚至为生存而战，她们工作和生活的环境是喧嚣噪杂的，但她们的心灵可能是相当孤独的，她们来自江南，更来自东北、内蒙、四川等地，她们虽然终日颠簸，个时加班加点，但总是有漫漫长夜让她们倍感孤寂，十分茫然……

于是我决定写一本书，关乎我自己，关乎我的成长经历。但这本书绝不是写给我自己的，而是用一种"分享"的心态，写给我的"粉丝"们，写给那些非常想进一步了解我，更想获得职场真经的年轻人，写给那些每晚入睡前卸下一切面具、卸下一切心理负担、期待手握一本小书翻上几页然后沉沉睡去的人们。

所以这本书的第一要素就是不故作高深，不讲大道理，更不会假扮开启人生智慧和指点人生迷津的大师。我的经历、我的心得，对同道的年轻人一定有启发有帮助，但切不可照搬照抄，人生的精彩各有不同。

最后，我要感谢几个人。首先是我的合作者王舒婧，她的聪慧伶俐极具"穿越"感，她是一个能让文字产生表情的女孩子，她的绚烂文字和灿烂笑容总是交织在一起，互为表里，相映生辉。

还有三位给我写序的人。他们都是非常熟悉我的。潘跃是我的先生。这个高高大大粗犷的男人有一副宽厚的肩膀值得你依靠和信赖，当我人生绚烂时，他就是背景；当我人生失衡时，他就是砝码；当我穿越暴风骤雨时，他就是港湾。

周志兴是共识传媒总裁，知名媒体人，也是社会活动家，与我既是校友，又同姓。不过他大我一轮，所以名副其实是我的大哥，在工作和生活中给我许多实实在在的指点和帮助。

徐莉是我的"闺蜜"。我是一个对时尚有点狂热的人，她恰巧在时尚先锋杂志《优品》做执行副主编，她是一个豪爽与细腻并存的女子，平时大大咧咧，但又心细如发，特别会照顾人体贴人。我们俩总有说不完的话。

……

也许，在二三十年后，有某个成功人士著书讲述自己成长经历时，竟提及周忆写的一本书带给他（她）的启示和快慰，那真是我莫大的荣幸。

周忆

2012 年 10 月 14 日写于北京家

▼ 16岁花季，
那年我初三，
拿了全市演讲比赛第一名。

这件毛衣是爸爸向他班里一位女生借的，
因为我的毛衣不如这件好看。

◀ 我和父亲

▲ 在圣迭戈的纯白色沙滩上。
坐在沙滩上欣赏落日的余晖
是我退休后必须要做的一件事。

BLOOM

▶ 我和毛京波，
奔驰公司市场副总裁。
我们在卡地亚的一个时尚派对上。

▲ 圣迭戈是我最喜欢的美国城市，
除了纽约。

BLOOM

◀ 我的旗袍"情结"，
上海老师傅的手工还是很靠谱的。

◀ 先生开玩笑说我戴这顶大檐帽
　　像日本皇妃了。

BLOOM

▶ 在丽江就换上丽江的装束。

▼ 2002年我参加公司秋季运动会，
　跑4×100接力赛。

BLOOM

我热爱运动。每个周日的下午五点到六点，是我和先生雷打不动的"羽毛球时间"，因为这一个小时的酣畅跃动，我有了鏖战下一周工作的体力和冲劲。运动是件好事情，它可以让人身体和心灵都不那么容易生病。

◀ 我与布达拉宫如此亲近。

BLOOM

▼ 同事们说喜欢我这样的笑容，
于是我把它做了工作照。

BLOOM
FOREVER